浴火的凤凰

郎平

和女排姑娘们

赢德体育 编著

陕西师范大学出版总社
SHAANXI NORMAL UNIVERSITY GENERAL PUBLISHING HOUSE

图书代号：SK19N0626

图书在版编目（CIP）数据

浴火的凤凰：郎平和女排姑娘们 / 赢德体育编著 . —西安：
陕西师范大学出版总社有限公司 , 2019.6
ISBN 978-7-5695-0849-9

Ⅰ.①浴… Ⅱ.①赢… Ⅲ.①女性—排球运动—优秀
运动员—生平事迹—中国—画册 Ⅳ.① K825.47-64

中国版本图书馆 CIP 数据核字 (2019) 第 102840 号

浴火的凤凰：郎平和女排姑娘们
YUHUO DE FENGHUANG: LANG PING HE NÜPAI GUNIANGMEN
赢德体育 编著

出 版 人	刘东风
出版统筹	杨 沁
责任编辑	杨 沁 王 越
责任校对	王 越
装帧设计	采 霖
出版发行	陕西师范大学出版总社有限公司
	（西安市长安南路 199 号　邮编 710062）
网　　址	http://www.snupg.com
印　　刷	北京中科印刷有限公司
开　　本	787mm × 1092mm　1/16
印　　张	12.5
字　　数	100 千
版　　次	2019 年 6 月第 1 版
印　　次	2019 年 6 月第 1 次印刷
书　　号	ISBN 978-7-5695-0849-9
定　　价	76.00 元

读者使用时若发现印装质量问题，请与本社联系、调换。

电话 :（029）85303890 /（010）69590320 转 8303

照进心底的阳光

进入冬季,阳光成了"奢侈品",但追求阳光的心却激荡在几乎每一个人的胸中。这就是阳光的魅力。

中国女排之于中国体育,就是这道阳光。自 1979 年 10 月 25 日中国体育正式回归奥运大家庭以来,风雨四十载,有沉有浮,有起有落,但中国女排却始终都是那面永不倒下的旗帜,女排精神甚至升华为一种国家精神,这不仅在中国体育界是一个奇迹,在全世界也堪称绝无仅有。

中国女排的第一次夺冠是在 1981 年的 11 月 16 日,那时的中国电视还相当不普及,国人对于排球的认知也更多地停留在日本电视连续剧《排球女将》之上。中国姑娘战胜了"小鹿纯子",战胜了"晴空霹雳",一夜之间,举国欢腾,"女排精神"也在自觉不自觉间成为各行各业"学女排,创佳绩"的必选之词。在那个改革开放初始的年代,"顽强拼搏,勇攀高峰"的女排精神更是很快便被上升为国家精神、民族精神,奏响了时代的强音。这种因为一项运动而带来的群情激昂,并由此产生剧烈的"聚核效应",不是身处那个时代的人是很难理解的。

但,中国女排的传奇并没有止步于此。

接下来的五连冠,在开启了国际排坛的中国时代的同时,也创造了中国女排在中国体坛最波澜壮阔的一段辉煌。不仅中国女排主教练袁伟民升任国家体委领导,甚至在国家及各省市体育最高机构的多个重要部门的领导岗位上,也出现了许多女排队员的身影。中国体育成就了中国女排,中国女排又反过来回报并影响了中国体育。这是一段激情燃烧的岁月,也是中国体育一段无法磨灭的记忆。

在那个中国经济高歌猛进的时代,很难说清楚究竟是中国女排辉耀了那个时代,还是那个时代成就了中国女排,但是,毋庸置疑的是,女排精神已经成为一个再也挥之不去的符号,伴随着这个国家的崛起，伴随着这个民族的复兴。即便是在中国女排一度低落的 20 世纪末以及 21 世纪初，女排精神所蕴含的奋勇拼搏、永不言弃也从来不曾被质疑，也从来未曾让人觉得过时。

中国女排再度高光，已经是 2004 雅典奥运会的事情。8 月 29 日与俄罗斯队的决赛，中国队的开局并不好，一上来便是 0 ：2。就在观众都以为中国队可能"脆败"的时候，陈忠和指挥的女排姑娘展开了绝地反击，最终 3 ：2 的结果不仅是中国女排征战史上的经典，也同样是世界女排历史上的典藏。这一战，也再完美不过地诠释了什么叫顽强拼搏，什么叫永不放弃。女排精神这束阳光历久弥新，丝毫没有因岁月的流转而发生任何的改变。

时光转眼便到了 2016 里约奥运会，站在中国女排教练席上指挥的，是当年五连冠的功臣郎平，这也是她继 1995 年之后第 2 次执教中国队。郎平的运动员生涯是完美的，郎平的执教经历同样可圈可点。这一次的回归，短短两年之内郎平便率队夺得了 2015 女排世界杯的冠军，但这并不意味着她和弟子们的里约之旅会一帆风顺。

事实上，这甚至是一条充满荆棘的道路，小组赛 5 场比赛，中国队 2 胜 3 负，这真的是一个不能再糟糕的开局了。八强对阵卫冕冠军、同时也是东道主的巴西队，郎平和她的弟子们其实已经被逼入了绝境——代表团为球队订好了比赛一结束便回国的航班，队伍内部也将训练用球放气以便直奔机场返回……背水一战，破釜沉舟！接下来的结果大家都知道了：1/4 决赛 3 ：2 力挫巴西队，半决赛、决赛以 3 ：1 的相同比分分别战胜了小组赛曾经击败自己的荷兰队、塞尔维亚队，再一次站在了世界之巅！

是什么创造了这样的奇迹？

有人说是郎平的运筹帷幄，有人说是女排姑娘们的顽强拼搏，还有人说是女排精神在发挥着潜移默化的作用……其实，所有的答案都对，因为在这支永不言弃的队伍身上，你能发现几乎所有的正能量、所有的闪光点。

女排精神与胜利结伴而行，但女排精神绝不只是体现在登顶夺冠之时，有时，甚至是一场失利，也同样让你感受到女排精神带来的荡气回肠。

2018年10月19日的世锦赛半决赛，便是这样的一场比赛。这场中国队与意大利队的"生死较量"无疑又是一场经典之战。抛开比赛的过程不论，单看最后两局的比分，便已经可以想象场面的激烈与胶着——31：29，15：17！事实上，在这场比赛中，被动与重压之下的中国女排一度5次挽救赛点，这种火星撞地球般的惨烈丝毫不亚于足球场上的点球大战。尽管这场比赛以中国女排的惜败而告终，但观者在遗憾的同时，无不为女排姑娘们在这个过程中所表现出的精神面貌所折服。女排精神看上去似乎只是一个概念或者口号，然而具体到这场比赛中就是迎难而上、奋勇拼搏、绝不放弃、虽败无憾的斗志。

其实，对于女排精神的解读，早在里约奥运会之时郎平便已经给出了答案：女排精神不只是赢得冠军，而是有时候明知道不会赢，也竭尽全力；是你一路即使走得摇摇晃晃，但依然坚持站起来抖抖身上的尘土，眼中充满坚定。

郎平的描述很简单也很直白，却恰恰让我们看到了女排精神的真谛，中国女排的一路走来，也恰恰就是这种精神的直接体现。

现在有一种倾向，好像一说什么"精神"，马上便会让人觉得是一种说教，很多年轻人更是近乎本能地"绕道而行"。殊不知"精神"其实很简单，就是一种信仰、一种力量、一种价值观。精神是无形的，但精神带来的力量却是真实的，就像那束穿云破雾而来的阳光，你捉摸不住它，却可以感觉到真实的温暖与热烈，这就足够了。

我们其实也没有必要一定要给"女排精神"下一个定义或者给一个标准答案。比如说，你看中国女排的比赛，你被姑娘们的努力感动了，你为场面的激烈兴奋了，甚至产生了一种要大喊一声的冲动，其实，这就是女排精神带给你的力量。这种精神的力量可能会让你哭，也可能会让你笑，与此同时，它让你的身体里产生了一种向上的、想要干一件漂亮事的能量……凡此种种，各种现象与能量都可以说是女排精神带来的结果。当年《南方周末》的新年献词中有这样的经典语句："阳光打在你的脸上，温暖留在我们心里。""总有一种力量它让我们泪流满面，总有一种力量它让我们抖擞精神。"现在，中国女排姑娘场上拼搏的身影可以说就是温暖人们内心的阳光，而透过这种拼搏带给人们内心的激荡，则是让我们泪流满面的力量。

体育简单，直接，魅力无穷，回味悠长，体育带给人的影响则如同照进心底的阳光，温暖，热烈，令人壮怀激烈，热情荡漾。总有一场比赛让我们记忆终生，总有一种力量让我们泪流满面，总有一种力量让我们激情满怀，总有一种力量让我们仰天长笑！

中国女排，就是这道照进心底的阳光！

文/许绍连

（赢德体育总裁）

目录

第一篇

郎平的 2018

文
/
马寅
（资深媒体人）

"不能奏国歌了，也要努力把五星红旗升起来。"

2018 年世锦赛半决赛，奥运冠军中国女排苦战 5 局不敌上升势头迅猛的意大利队而无缘决赛。之后，主教练郎平这样鼓励她的孩子们。

此时，身陷死亡小组和死亡半区、克服重重困难提前锁定六强席位、又顺利杀入四强的中国女排，已经在 20 天时间里辗转 4 座城市，完成了 12 场比赛。

决胜局的最后一球，意大利女排保拉·艾格努进攻，中国女排拦网打手，朱婷转身无奈地望着球远远飞出场外，比分牌定格在 17 ∶ 15，意大利人喜极而泣，中国姑娘们黯然神伤。

奥运冠军在通向世锦赛决赛的路上停住脚步，那一刻，像是一个梦的终结……

"比赛已经结束了，再遗憾可惜都没有用了，我们回去好好总结这场球，下次，我们努力战胜她们！"郎平第一时间这样鼓励队员，引领大家看向远方。

姑娘们显然被点醒了：

原来，我们还在路上，我们的目标是 2020，东京奥运会。

里约奥运周期结束后，有很长一段时间，大家都在猜测已经 56 岁的郎平还会不会拖着一身伤病继续带着中国女排往前走。

在三年多日复一日面向里约奥运会的坚持和努力之后，郎平也很想过一过没有压力的舒服日子，更何况长年身处一线，累积的伤病越来越重，已经到了影响生活质量的程度，她需要休息。

面对方方面面希望她留任，带领中国女排再战东京奥运周期的声音，郎平考虑了很久，最终决定不管未来的 4 年做出什么选择，一定要先完成两侧髋关节的置换手术，并做好康复。

2017 年上半年，手术与康复成为郎平生活的重心，她两次赴美国接受髋关节置换手术，并以极大的毅力坚持术后锻炼。

在相对更严重的右侧髋关节先做了置换手术后，还在卧床期间，郎平就在复盘里约奥运会的比赛录像。她也一直关注着赴土耳其职业联赛效力的朱婷，以及在国内联赛中磨炼的众将、冒头的新人。

　　2017 年 3 月下旬，郎平同意东京奥运周期以总教练的身份继续带领球队征战，这一职务无形中是郎平又给自己加了码：除了监督把握球队训练比赛，还要规划球队的发展方向；在发掘和培养年轻运动员的同时，还要做好教练员的传帮带。

　　8 月，半年时间经历两次手术和康复的郎平回归中国女排，随队出征 2017 年世界女排大冠军杯赛。在这项中国女排连续三届未能夺冠的赛事中，郎平担任场外指导，为执行教练安家杰出谋划策。姑娘们气势如虹，敢打敢拼，连胜美国队、巴西队、韩国队、俄罗斯队、日本队，毫无悬念地提前 1 轮折桂。这是继 2015 年的世界杯和 2016 年的奥运会后，中国女排连续 3 年斩获世界大赛的冠军。

2018 年，中国女排进入世锦赛年。

这一年，国家队集训开始得很早，但是直到 4 月中旬国内排超联赛全部结束，中国女排才算正式启动。

5 月 15 日，世界女排联赛打响，在绝对主力朱婷刚刚结束欧洲女排冠军联赛的征战、张常宁因病缺席的情况下，中国女排开局不利。

一边带老队员恢复状态，找到感觉，一边拉年轻队员，帮助她们细致打磨技术；既要让大家意识到自己和世界先进水平相比还有很大差距，又要想办法带大家赢一些比赛以保有足够的自信。这个过程中，教练组很辛苦，郎平最累心。

在联赛中脱颖而出的新星李盈莹如愿进入中国女排，郎平从带着小姑娘选择一日三餐的食物、做好营养搭配、控制体脂做起，从接一传的手型、防守的判断、拦网的步法开始要求。看着她劳心劳力，周围人很心疼，更多的人开始懂了：为什么东京奥运周期再出发，郎平要把"走下领奖台，一切从零开始"的横幅挂在训练馆最醒目的地方？为什么她说从来就没有功劳簿，更没有奥运冠军的所谓资本，只要下决心干，就要做好扒层皮的准备，就意味着再痛苦 4 年？

从北仑到澳门，从香港到江门，中国女排在 1 个月的时间里打了 12 场比赛，只赢了 6 场，虽然这是郎平预料之中的情况，但是奥运冠军输掉这么多的比赛，压力不可能小，心情更不可能好。

江门站比赛过半，郎平决定带主力队员回北京训练，当时距离在南京举行的世界女排联赛总决赛只有两周时间，距离中国女排 2018 年重要比赛任务之一的亚运会，仅剩两个月了。

国家队赛季刚开始就如此煎熬，朋友看到 4 周下来疲惫消瘦的郎平，不禁为她担心。

郎平倒是一如既往地乐观幽默："我还好，也就是每天两三点睡，7 点起床。今年我们锻炼新人，从目前来看成长得最茁壮的应该是我！"

回到北京，郎平开始带着主力练基本功，抓细节，她说："分析了一大堆问题，核心是缺练，那我们就苦练呗！"

6 月最后一周的总决赛，中国女排的面貌大有改观。最终能站上领奖台，以季军的身份结束漫长的世界女排联赛，既是承受输球压力锻炼新人初见成效，也是发现问题狠抓细节起了作用。

8 月下旬，中国女排以 8 个 3：0 的成绩夺回上一届在仁川失去的亚运会冠军。

亚运会后，中国女排还有 3 周时间准备这一年最重要的比赛——世锦赛。

中国女排上一次获得世锦赛冠军，还是遥远的 32 年前；郎平退役后担任国家队主教练，唯独没有拿过的荣誉同样是世锦赛冠军。球迷们甚至算好了，如果 2018 年世锦赛夺冠，那郎平亲手带起的这支中国女排队伍就实现了"三连冠"，郎平也将史无前例地成为作为球员和主教练都夺得世界三大赛冠军的"双满贯"第一人。

但是对于这样的期待，郎平似乎毫无察觉，媒体问她世锦赛中国女排的目标，她每次都回答：力争打进六强。

"中国女排距离世界第一方阵还有距离，目前是第六、第七的样子，需要在训练中积累、进步，缩小和世界先进水平的差距。"亚运会夺冠后，郎平在展望世锦赛时曾说，"世锦赛我们是分在死亡小组，我们这个半区的主要对手，像意大利、土耳其、美国、俄罗斯实力都很强，韩国、泰国、阿塞拜疆也有一定的冲击力。我们只能琢磨着怎么从小组杀出去，冲击六强。至于'三连冠'，那是大家的期许，是媒体关注的点，作为我们干这行的人，不能天天总想这些事情。"

不能天天想着好成绩，但是每天都在为了胜利而努力。

北仑备战期间，中国女排每天上午、下午训练，晚上开会看录像，研究对手，写作战方案。郎平每天工作到深夜，她说作为主教练，除了带队员做准备，自己还要准备更多，只有这样才能在比赛中，在队员遇到困难、最需要帮助的时候，给她们最有力的支持。

出征世锦赛前收拾行李，郎平和助手安家杰反复确认所有的资料是否带齐，她开玩笑说："别的东西忘带了都能买，只有这些是无价之宝，忘带只能飞回来取。" ◗

4

2018 年 9 月 25 日，中国女排从北京飞抵小组赛的比赛地——北海道札幌市。札幌市是全日本人口数量排第 5 的城市，也是北海道政府办公室所在地，曾在 1972 年举办过第 11 届冬季奥运会，也是 2006 年男篮世界杯（当时叫世锦赛）的举办城市之一；其名来源于阿伊努语，意为"大河川"；工商业发达，风景优美，旅游景点众多。但是，中国女排的姑娘们可没有游客们的心思。

抵达酒店后简单收拾行李，稍事休息，郎平就带队员们到训练馆活动身体。

世锦赛的第 1 次训练前讲话，郎平说："今天的训练量不会大，但是你们每一个细节都要做到位。"

训练间隙，她细心地提醒孩子们："多喝点水啊！札幌和国内的北方一样干燥。"

和在国内时一样，每一次训练，郎平都亲力亲为。防守多球训练，郎平是"人肉标记物"，队员们要先触碰到她的腿，才能开始接球。战术配合训练，郎平每次一发现问题就及时叫停，带着队员一起讨论。

小组赛的第 1 个对手是古巴队，虽然"黑色橡胶"早已雄风不再，但郎平不敢有丝毫的大意。

自从中国女排加冕奥运冠军，每一个对手都来势汹汹。因为对于所有对手来说，拼奥运冠军都是一件很刺激的事，那些实力平平的球队，不要说从奥运冠军手里拿一局，就是得一分，或是打出一个漂亮球也感觉是赚到了。奥运冠军想顺利赢下比赛，不横生枝节，连个盹儿都不敢打。

"我们要集中精力把自己做好，力争尽快适应，找到比赛节奏，进入状态。"

这是郎平赛前向队员们下达的命令。她要求队员们不仅要打好这场世锦赛首战，也要为接下来的比赛尽可能做好各方面准备。

此时，中国女排小组赛的第 2 个对手——在 2018 年异军突起、进步飞快的土耳其队已经虎视眈眈。

土耳其主教练乔瓦尼·古德蒂是中国球迷的老熟人，也是郎平的老朋友。

将近 20 年前，郎平在意大利摩德纳队执教时，这个家住训练馆附近的毛头小伙儿常常跑去观摩学习。

"有一天他来问我可不可以观看训练，我说可以。我以为他就来一两天，没想到他天天来，来了什么都记。"郎平回忆说。

后来，古德蒂入主名不见经传的德国女排担任主教练。随着德国女排成绩越来越好，古德蒂渐渐受到了关注，但是这个好学的意大利人并不满足，又在俱乐部战线接过了土耳其瓦基弗银行队的教鞭。2015 年他接手荷兰女排，转年就把荷兰女排带进奥运会四强。里约奥运会以后，这个土耳其女婿转而执教土耳其女排，仅用 1 年时间，便带领土耳其女排创纪录地获得了世界女排联赛亚军。

因为里约奥运之后朱婷出国打球，选择的正是古德蒂执教的瓦基弗银行队，被中国球迷爱称为"老褶子"的古德蒂和中国排球又多了一份渊源，"褶导"的故事被中国球迷津津乐道。但是这场中土之战，双方都是抱着必杀的决心，满怀必胜的信念的。

"每一场比赛开始前，双方都是胜负五五开。"郎平这样告诉队员，也如此回答媒体。郎平认真分析了土耳其队的情况：队员年轻，冲击力强，上升势头猛，打好了谁也拦不住，但是这样的球队必然有另一面——底蕴不够，积累不够，对困难的准备不足，很难自始至终把控好情绪。

"开局我们必须打好，压制住对手，如果让土耳其队打疯了，那就麻烦了。"对郎平的布置，队员们通过各种方式消化吸收，当然最重要的还是不断在头脑中复习对手的线路手法，演练我们自己的战术打法。

功夫不负有心人，在这场世锦赛第 2 轮的焦点战中，中国女排全场压制对手，通过出色的发球带动拦防，愣是把心高气傲的土耳其队打泄了气。

1 个月前的瑞士精英赛上还是要什么有什么的土耳其队，这场比赛开场前还一个个神气活现的土耳其队，开场后被中国女排发几个拦几个就面面相觑了，开始怀疑自己了，失误频频。这就是排球，与其说比赛是实力的比拼，不如说是抑制与反抑制的较量。

5

拿下土耳其队，中国女排为杀出"死亡之组"奠定了重要基础，而在对阵强大的意大利队之前，姑娘们还需要顺利拿下加拿大队和保加利亚队。面对弱队，郎平却告诉队员们：

"千万不要松懈，对手打不过你也想咬你一口，为了不给自己挖坑，不堵自己的路，这两场比赛，要做到尽量不丢局。"

小组赛第 4 场对阵保加利亚队，对手世界排名第 17，实力算不上强，但是前 3 轮表现出色。

赛前一晚观看保加利亚队录像时，郎平自言自语："防守相当不错，拦网手很硬，搞不好又够我们的队员适应一阵子的。"

果然，比赛过程一波三折，中国女排以 22 ：25 先丢一局。世锦赛赛程长、赛制复杂，最怕因各种失误陷入乱局，比如在非主要对手身上丢局甚至丢分。郎平迅速调整阵容，连扳 3 局逆转取胜。比赛打得不顺，郎平很平静，经历过大风大浪的她，以自己的排球经验和人生智慧对局势做了解读：

"遇到一些困难不是坏事，顶过去就好。人不能太顺，太顺了也不是什么好事。"

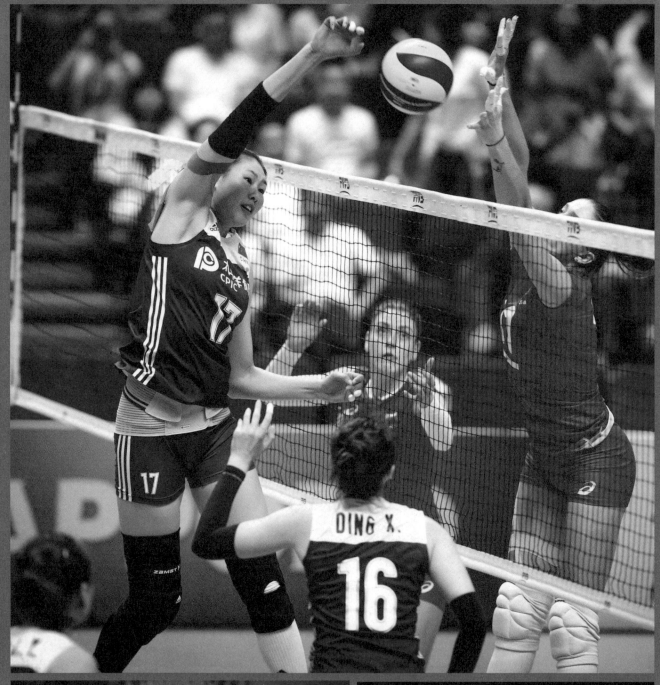

小组赛最后一场，中国女排迎来世锦赛开赛以来的最强对手——在东京奥运周期一年半以来突飞猛进的意大利女排。

世锦赛前的备战阶段，郎平带领教练组对意大利队做了大量分析准备工作。北仑封闭集训期间，全队一起对这根最难啃的骨头做了充分研究。对阵意大利队，郎平对队员提出这样的要求："希望我们能耐下心来，一点点啃她们！"

有备而来的中国女排在这场强强对话的开局打出了高水平，意大利队的两个箭头人物——艾格努和米里亚姆·塞拉都被成功抑制，中国女排率先赢下首局，在第2局的前半段也发挥了高水平。胜利的天平似乎在向中国姑娘一边倾斜。

第2局，局末，精力高度集中、贯彻作战意图非常彻底的中国女排稍有松懈，被老练的对手抓住关键分扳回1局，双方重新回到同一起跑线。但此时的中国女排已经不能像第1局那样头脑清醒、组织严密，尽管郎平不断变换边攻组合，想尽办法调动自己手中的资源，但是面对意大利队强力快速的进攻、高水平的拦网和密不透风的防守，中国女排有些跟不上节奏，除了朱婷，其他攻手都很难突破。

1∶3，中国女排遭遇世锦赛开赛以来的第1次失败。

"如果再有一个朱婷，这场比赛我们就赢了。"郎平赛后幽默地说，"输了球说明我们还不够，现在最重要的，是先打好第2阶段的硬仗。"

以4胜1负的成绩排在B组第2，中国女排从札幌转战大阪，在那里，更艰苦的比赛在等着郎平和她的弟子们。◓

和在北海道札幌市一样，中国女排在抵达大阪府大阪市的当天下午就安排了训练课，根本无暇顾及日本第 2 大城市的人文、风景与娱乐活动。

世锦赛艰难又漫长，既是对球队实力水平的考验，也是球员体能和心理的比拼。看着札幌站的比赛打下来，郎平和弟子们疲惫的样子，很多人心存疑惑：既然累了为什么不休息？为什么还要训练？

这方面没有人比 36 年间 7 次征战世锦赛的郎平更有发言权。

从 1982 年作为运动员征战世锦赛开始，到 1986 年担任助理教练参加世锦赛，再到 1990 年退役后复出代表中国女排出战世锦赛；从 1998 年作为中国女排主教练率队出战世锦赛，到 2006 年作为主教练带领美国女排参加世锦赛，再到 2014 年、2018 年两次率中国女排征战世锦赛，郎平最清楚：世锦赛赛程长、球队多、对手强，对体能和心理的持续把控是决胜的关键。

转战大阪之后，郎平知道小组赛打下来，高强度的比赛与训练让大家都有些累，她提醒队员：

"这个时候最不能提的就是'累'字，越提越累，必须要打起精神。正能量也会互相传染的，每个人都咬一咬牙，多一点笑脸，大家都会感受到力量。"

面对异常严峻的出线形势，郎平看上去很平静，言语很有力量：

"我们就一关关地过，打谁都得玩命！每一球、每一分我们都全力去拼，要计较，接下来不管发生什么，我们都得顶在那儿！"

当然，凡是要求队员的，郎平都先以身作则做好榜样。

看她接受采访时说"打每场比赛都玩命"，家人很为她的身体担心，劝她睡不着觉就数绵羊，但是她索性起来打开电脑继续看录像，她说这也是"学无止境"，永远不会觉得自己准备得够足，够多，永远希望自己能做得更好。

在这支球队里，郎平年龄最大，伤病最多，压力最大，负担最重，但正能量最足、笑容最多、最幽默风趣。

训练中她不时跟队员们开个玩笑，希望年轻队员面对残酷的竞争能有个好心态。

　　复赛前两轮，中国女排连续以３：０拿下泰国队和阿塞拜疆队，但是因为主要对手也在赢球，中国女排的晋级形势愈发严峻了。

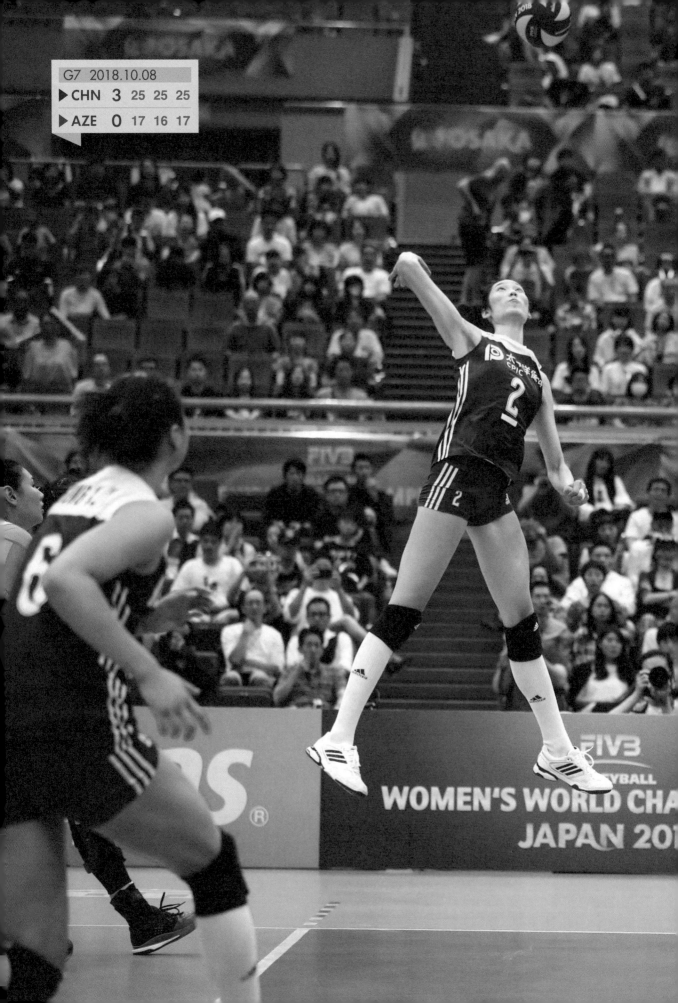

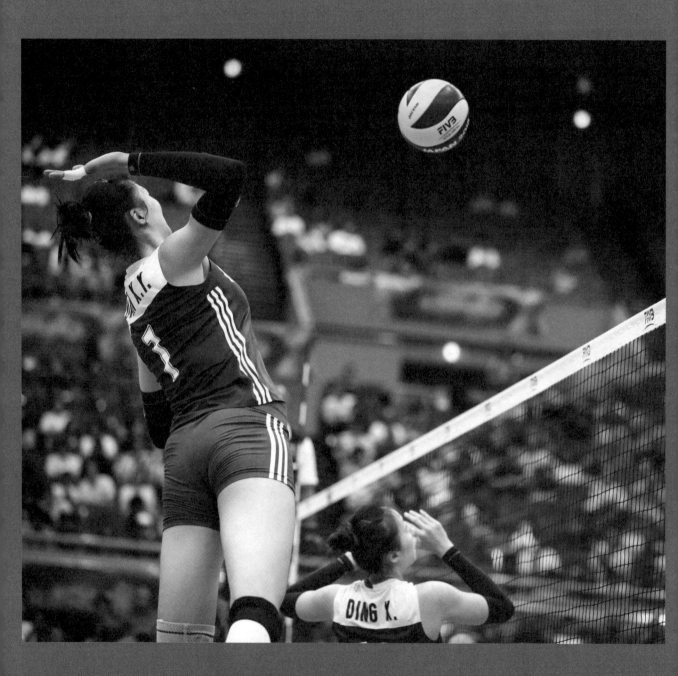

"我们一直跟队员强调每一局、每一分都要努力争取，都要算，尽量不给自己挖坑，但回头看看，我们还是犯了一些错误。"郎平说。

复赛第 3 场，中国女排对阵美国队，按两队之前世界三大赛交锋情况和世锦赛前 7 轮战绩分析，似乎还是美国女排胜算更大。很多中国女排的支持者在预测中国女排晋级六强的可能性时，索性将这场中美之战按 0：3 的最坏结果计算，那么，中国女排在复赛最后一轮对阵俄罗斯女排就只有华山一条路——战胜对手。

就在大家纷纷猜测郎平会战略性地放弃对美国队的比赛，保存实力全力拼俄罗斯队的时候，郎平正率球队对这个自里约奥运周期以来在世界三大赛上持续压制中国女排的对手做最后的准备。

"再强大的对手，比赛结束之前双方的胜负概率都是五五开，我要尽全力去争，如果我能这次战胜对手，我一定不等到下一次。"

在中国女排出人意料地以 3：0 干脆利落战胜美国女排以后，郎平才把她的想法和盘托出。

G8 2018.10.10
CHN 3 25 26 25
USA 0 17 24 18

然而，在完胜美国，提前 1 轮晋级六强之后，甜蜜的烦恼来了：最后一场是继续全力拼俄罗斯队，还是派替补练兵？

　　如果用替补出战，可以让主力得到休息；而且如果中国女排输给俄罗斯队，就可以在和对手联手进入六强的同时送卫冕冠军美国队回家，这对与美国女排球风相克的中国女排来说并非坏事。另一个小组的塞尔维亚队就是这么做的，她们提前两轮出线后轮休了多名主力，最后两轮分别负于日本队和荷兰队，送巴西队出局。

　　但是，就算抛开公平竞争的原则，打比赛和军事作战一样，都是一口气，该拼的球不拼，该赢的比赛没有拿下，到真正角力的关口我们是不是还能顶得住？

　　郎平并没有花什么时间来盘算和纠结。战胜美国队回到酒店，郎平就带领团队投入新一轮的备战，用她的话说是做好该做的事情，一切按原计划进行。

　　"打俄罗斯我们虽然没有胜负压力，但还是一定要争取胜利。对这些欧洲劲旅，我们每一次打都要认真去打，锻炼我们的技术，适应她们的风格。"郎平坦陈，作为职业教练，她从没有考虑选择对手。

　　最终，中国女排 3 ∶ 1 完胜俄罗斯队，全程坐在观众席关注比赛的美国女排主教练卡什·基拉里长出了一口气。

　　赛后有人问郎平：俄罗斯队和美国队，放哪支球队进六强对中国女排更有利？郎平回答：

"我们这支年轻的球队，需要不断积累和锻炼，我们的精力应该集中在每一场比赛。况且，体育是公正、公平，我们应该遵循体育道德。"。

这次世锦赛，郎平遇到很多老朋友、老熟人。

这么多年活跃在世界排坛，郎平的朋友很多。

从札幌转战大阪当天，中国女排刚到比赛馆，阿塞拜疆队的老将娜塔利亚·玛玛多娃就跑上前跟郎平热情拥抱。

玛玛多娃是郎平 2008 北京奥运会后执教土耳其电信队时的队员，共事 1 个赛季之后，因为阿塞拜疆队成绩一般，没有什么机会参加世界大赛，所以师徒二人一晃已经是 10 年没见面了。

"虽然这些年我和 Jenny（郎平的英文名）没见过面，但是我经常在电视上看到她，她一直都是我心目中世界上最好的教练。"

早年留学美国，里约奥运周期曾在日本女排担任助理教练的川北元现在在日本一家职业俱乐部任教，他带着妻子和两岁的女儿专程赶到大阪和老朋友们见面。和美国女排的一些熟人寒暄之后，他就在场边等着郎平到来。玩累了的孩子已经睡了，但是川北元和妻子一直在等——

"当年我在美国的时候 Jenny 教过我很多，那段和她在美国女排工作的经历对我帮助非常大。"川北元说，"这两年我执教俱乐部队，和 Jenny 很少有机会见面，很想念她，今天就想当面跟她说一声好运。"

泰国女排老将维拉万·阿皮亚蓬曾效力于郎平执教的广东恒大女排，每次见到郎平，维拉万都会满怀感激地忆起那段师徒经历："Jenny 是世界上最好的教练，和她在一起的一年，是我人生中特别美好的经历。"

一次新闻发布会前，担任 TBS 电视台解说嘉宾的日本女排宿将大林素子特意跑来跟郎平打招呼。

1985 年女排世界杯，当时只有 25 岁的郎平和还在上高三的大林素子第 1 次赛场相见，如今已经 33 年过去了。

"您一直那么棒，我很尊敬您。"大林素子通过翻译对郎平说，"时间过得很快，我们都不年轻了，久美今年也 53 岁了。"她说的久美，就是现在的日本女排主帅中田久美。郎平听后幽默地回答："我不年轻了，你们俩不仅年轻，而且美丽！"

东京奥运周期在日本队辅佐中田久美的土耳其帅小伙儿费罗·阿巴斯，是郎平 10 年前执教土耳其电信队时一手带起来的，后来郎平执教广东恒大女排时，费罗还跟她一起来到中国工作。

这些年，从瓦基弗银行队到土耳其国家队，再到日本国家队，费罗的执教之路越走越宽。不管走到哪里，他始终记得郎平的栽培。"我觉得中国队会拿冠军，我希望中国队拿冠军！"在名古屋见到郎平，费罗"神神秘秘"地说，可爱的表情泄露了他"心有所属"。

国际排联评选的 20 世纪最佳女子排球运动员格雷拉·托雷斯如今是古巴女排助理教练，在接受采访时她说："郎平是一个很好的教练，非常强大，我希望成为像郎平那样的教练。"

六强赛，中国女排转战爱知县名古屋市。

这是郎平自 2013 年再次执掌中国女排教鞭以来，第 3 次带队到名古屋市比赛。这座城市不仅是爱知县首府，也是日本三大都市圈（东京大都市圈，京阪神大都市圈，名古屋大都市圈）之一的名古屋大都市圈的中心城市，同时还是日本的五大国际贸易港之一，总人口在日本的城市中排第 4，是日本战国文化的发源地，旅游业发达。但对于郎平，关于这座城市的记忆都是排球。

2015 年，中国女排在名古屋连胜多米尼加队、俄罗斯队和日本队，12 年后再获世界杯冠军；2017 年世界女排大冠军杯，中国女排从东京移师名古屋，连胜韩国队、俄罗斯队和日本队，时隔 16 年再获大冠军杯冠军。

对于郎平个人来说，在她漫长的执教生涯中，还有两次率领美国女排到名古屋比赛的经历，其中 2005 年大冠军杯美国女排在这里获得亚军，2007 年获得世界杯第 3 名，成为首批拿到北京奥运会入场券的球队。

这一次，中国女排将在名古屋与老对手美国队和世界女排新锐荷兰队相遇，争夺进入四强的名额。

刚刚写到了在大阪市的复赛阶段，中国女排 3 ∶ 0 速胜美国队，虽说过去 12 年在世界三大赛没胜过美国队的历史已经作古，但那一场出人意料的完胜，除了中国女排准备充分，发挥出色，到底有没有美国队轻敌的因素？中国女排是不是已经找到了对付美国队的办法？

最好的回答就是，再打一场。

比起复赛，六强战中的美国队提升了状态，前3局中国队1：2落后，第4局已经没有退路。这个时候，郎平大胆变阵，派曾春蕾和李盈莹首发出场。一下子更换两名首发队员，这是世锦赛开赛以来郎平第1次如此用兵，用她的话说：

这个时候，就是拼了！

第4局中国女排一直领先，最多时拉开对手5分，但是打到局末被对手连续追分，压力骤然增大。关键时刻郎平大胆换人，两点换三点，姚迪替下曾春蕾，龚翔宇换下丁霞。

"就算输了也要搏一下！"对这次把网友吓得不敢看的换人，郎平赛后说得轻描淡写，但言语中充满了智慧和果敢。有这样超强的指挥能力和超级大心脏，才是"铁榔头"。

3：2，中国女排完成了一届比赛对美国队的双杀，将面对这个克星的不胜纪录彻底打入冷宫。

"这个时候就是靠一口气顶着！"郎平说，"准备美国队那天，我们早上 8 点出发训练，下午 3 点到 6 点训练，晚上看录像、开会到 10 点半，忙完真像散了架一样。但比赛还没完，我们还有梦想，所以都在坚持！"

由于1天后荷兰队也战胜了美国队，这样，中国队和荷兰队均提前1轮杀入四强。最后一场中荷之战，熟悉的选择题又摆到中国队面前：是否需要全力争胜？如果赢下荷兰，中国队半决赛将面对小组赛战胜过自己的意大利队；若负于荷兰队，半决赛就将面对里约奥运周期屡次败在自己手下的塞尔维亚队。

但和复赛时一样，郎平只选择胜利。在她看来，为了选择对手而成心输球，反而会因小失大。意大利队和塞尔维亚队实力相近，碰到两队中的任何一个，中国队都必须拼尽全力发挥。能不能打进决赛靠的是自己的实力，而故意选择对手，反而会影响到自己的状态和心理。

最终，13 人出战的中国队 3：1 赢下荷兰队，以 F 组头名晋级四强，半决赛移师仅次于东京和大阪的日本第 3 大城市——神奈川县横滨市，再战意大利队。

这是郎平和她的女排姑娘们在本届世锦赛移师的第 4 座城市，也是最后一座城市——无论这场比赛是输是赢，决赛都不会再更换比赛地点了。四强大战前的新闻发布会，塞尔维亚队主教练佐兰·特尔季奇称身体不适没有出席，郎平与意大利女排主教练达维德·马赞蒂、荷兰女排主教练杰米·莫里森一起亮相。

站在 C 位的郎平最谦虚："比赛走到今天挺长的了，我觉得中国队表现不错，一直在努力学习和提高，还是有进步的。四强中每支球队都很优秀，意大利队进步很快，我们努力发挥最好的水平，为大家奉献一场精彩的比赛。"

中国队和意大利队的比赛在 10 月 19 日 15 时 10 分开始，在这之前，塞尔维亚队没费太多周折就以 3：1 击败了荷兰队。之后的这场半决赛可谓惊天动地，中国女排一直战斗到最后一刻，最终在决胜局以两分之差惜败。

很多人以为郎平会掉泪，可是她一直保持着笑容。在混合区接受媒体群访时，她从容淡定，表示比赛还没有结束，一定要善始善终，打好铜牌争夺战——

"得赶快带着孩子们从这场球的郁闷中走出来，铜牌战也很重要，打到今天，成绩都是我们一场一场拼来的，不能说没有希望夺冠了就没有精神了。"

赛后新闻发布会上，郎平风度翩翩地恭喜意大利队，称这场比赛扣人心弦，非常精彩。她肯定了自己的球员们的努力，坦然面对失利："我们在拦网反击这些环节上还可以做得更好，这是我们今后的努力方向。"

　　晚饭后，趁队员洗澡收拾的时间，郎平靠在床上休息，手里还拿着中意大战的技术统计。

　　"真的是有点累了，今天一看日历，我们这次来日本已经 25 天了。这两天上楼我都得想想自己住几层，哪个房间，从札幌到大阪、名古屋再来到这儿，几天换一次酒店，我快连家门儿都不认识了。"

　　她说。

她很想休息一会儿，但是又忍不住拿起技术统计研读——

"我们进攻比对手少了 20 分，能扛 5 局不容易。"

"这场球我们一传是赢了对手的。朱婷对艾格努，我们也是正分。"

当晚的队会，队员们都比较沮丧，觉得拼到这个份儿了没有拿下来很可惜。队员们的想法，郎平很理解，但是她更知道这个时候的责任。

"不能奏国歌了，也要努力把五星红旗升起来。"

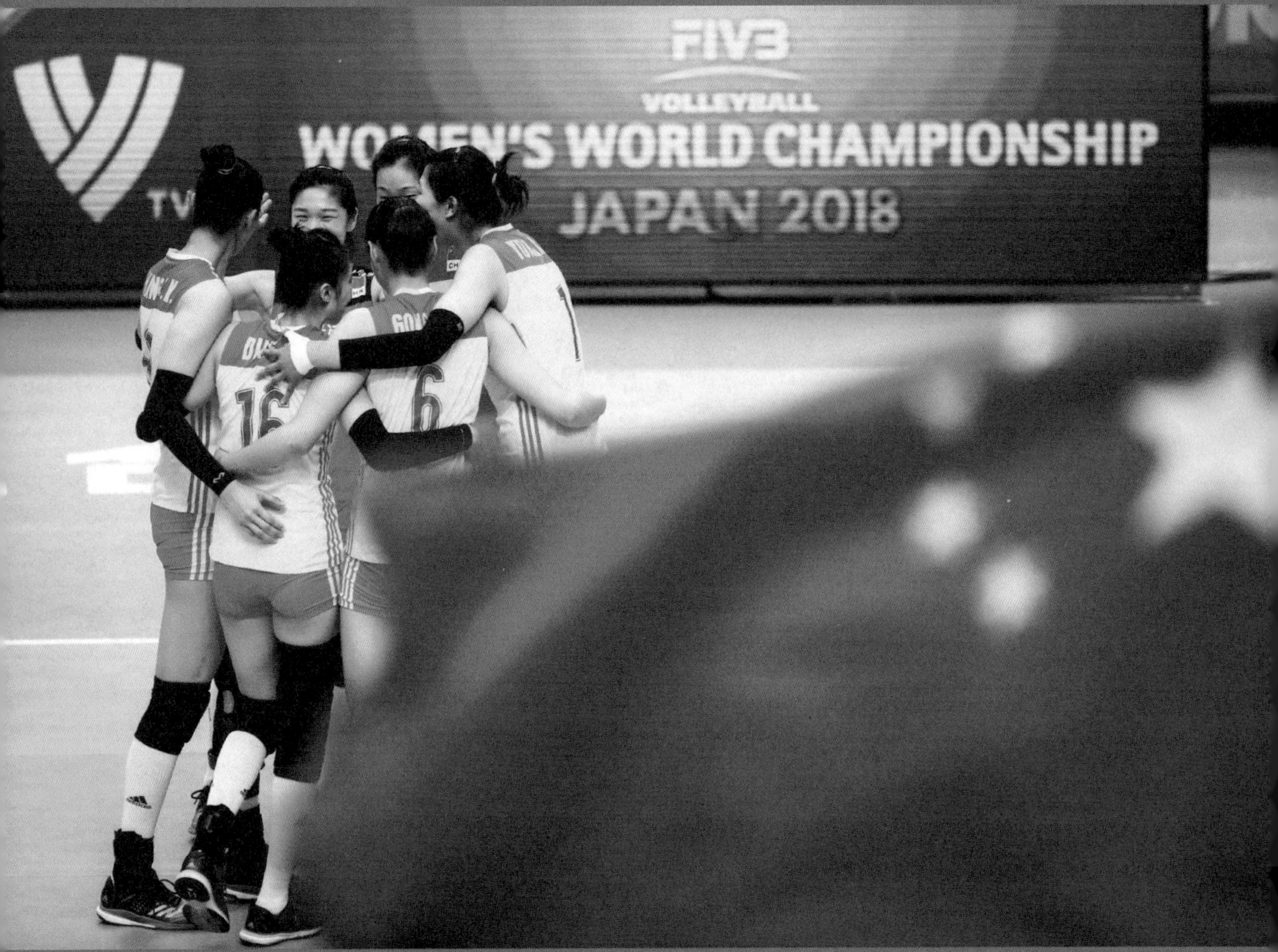
FIVB
VOLLEYBALL
WOMEN'S WORLD CHAMPIONSHIP
JAPAN 2018

郎平的话令人感动，充满力量。

不到 24 小时后的铜牌战，姑娘们干净利落地拿下荷兰队。习惯了奥运会争金夺银的中国球迷们可能忽视了，这可是中国女排历史上第 1 次获得世锦赛铜牌！至此，在郎平第 2 次执教中国女排的这一个半奥运周期中，中国队在世界三大赛共收获了 2 金 1 银 1 铜，4 项赛事从未掉出前 3 名。

谈到现场球迷大喊"郎导辛苦了！"的时候，郎平说："其实我们要感谢球迷朋友的支持，有这么多的球迷热爱中国女排，这也是我们走到今天的动力。我也要感谢队员的坚持，世锦赛对我们的锻炼很大，我们收获满满。"

世锦赛，以 1 枚沉甸甸的铜牌收官，用"铜"样精彩作结，再合适不过。

4 年前世锦赛的前 3 名美国队、中国队、巴西队，只有中国女排再次站上了领奖台。

而当站在了领奖台上，中国女排和爱女排的人们一样，有喜悦，也有遗憾。26 天转战 4 座城市，郎平带着女排姑娘们，用勇气和坚持，写就了又一段传奇，每一个片段都留在我们脑海里，也留在中国排球的历史中。

"现在国际排坛中有那么多强队，太多实力强劲的队伍实力在伯仲之间。这枚铜牌，是大家一点点奋斗出来的，拼得这枚铜牌真的是'吐血'了。"

郎平说。

铜牌战落幕，连助理教练都拿郎平来幽默，调侃起主教练："这回不是银牌了，我跟郎导说铜牌挺好，跟金牌靠色儿。"

4 年前，意大利世锦赛，中国女排时隔 16 年再夺银牌之后，赖亚文写了微博长文《我们银色的世锦赛》——

2014 年的意大利世界锦标赛结束了，这是您 32 年来的第六次世锦赛，这是我 24 年来的第六次世锦赛。1990 年的北京世锦赛，30 岁的您是队里的老大姐（年龄最大的），担任主攻；20 岁的我是队里的小妹妹（年龄最小的），担任副攻。我们在场上互相掩护，互相配合，共同收获了银色的奖牌。8 年后，1998 年的日本世锦赛，38 岁的您是主教练，28 岁的我是队长，您在场下，我在场上，您授意，我执行，共同收获了银色的奖牌。16 年后，2014 年的意大利世锦赛，54 岁的您是主教练，44 岁的我是助理教练，我们并肩而坐，您当指挥，我当参谋，共同收获了银色的奖牌。继 1982 年、1986 年世锦赛两连冠之后，3 次世锦赛打进决赛，都有我们的精诚合作，也都留下那么一点点的遗憾。为了我们的坚守，为了我们的不懈努力，遗憾也是另一种执着的美。

郎平的 1982、1986、1990、1998、2006、2014 和 2018，赖亚文的 1990、1994、1998、2002、2010、2014 和 2018，她们俩的经历连起来，是世锦赛的 36 年，她们俩的经历互相补充，是其间完整的 10 届世锦赛。

这一次，她们又是肩负使命而去，不负使命而归，接下来，中国女排要面对的就是 2019 年的日本女排世界杯和 2020 年的东京奥运会的挑战。对此，郎平说：

"世锦赛只是新周期的开始，我们的终极目标是 2020。"

郎平与中国女排的传奇故事，仍在继续⋯⋯

第二篇

世锦赛日记

文
/
刘华伟
周骁

① 巾帼出征 | 目标是六强赛
2018 年 9 月 25 日，14 人大名单

4:45，中国女排全队从北京驻地出发赶往首都机场，8:00 乘坐 CA169 航班飞往日本的北海道札幌市，踏上了 2018 女排世锦赛的征途。赛前，郎平直言"我们的目标是力争六强"，即打进第三阶段的六强赛。不提金牌，不提银牌，不提铜牌，甚至不提半决赛，看似低目标，其实是高要求——世锦赛以强队多、赛程长、水平高而被称为女排世界三大赛中最艰难的比赛。

但，排除万难，努力向前才是中国女排的选择！

出征本次世锦赛的 14 人大名单中，朱婷、张常宁、刘晓彤、颜妮、袁心玥、龚翔宇、丁霞、林莉等 8 位是奥运冠军成员；曾春蕾和王梦洁曾获世界杯冠军；李盈莹、胡铭媛和杨涵玉等 3 名年轻队员则是首次参加世界大赛，但她们都曾在之前的其他赛事中大放异彩，正兵御敌，出奇制胜，人们都希望 3 位小将发挥奇兵的作用，给中国女排带来新的活力，并成为中国女排的未来。

中国女排 2018 世锦赛 14 人名单
主　攻：朱婷、张常宁、刘晓彤、李盈莹
副　攻：颜妮、袁心玥、胡铭媛、杨涵玉
接　应：龚翔宇、曾春蕾
二　传：丁霞、姚迪
自由人：林莉、王梦洁

② 首秀丨开门红
2018 年 9 月 29 日，中国 3：0 古巴

在第一阶段的小组赛，中国队被分在 B 组，第 1 个对手是古巴队。

中国队和古巴队最近 8 次在世界大赛交手，中国队保持不败。这些世界大赛包括奥运会、世锦赛、世界杯、世界联赛以及大冠军杯。而两队最近在世界三大赛过招是 2015 年的女排世界杯，当时，中国队直落 3 局胜出。

世界三大赛的首秀历来都不好打，经历风风雨雨的中国女排教练组应对得当，队伍很好地适应了场地，姑娘们在首场比赛中充分感受世锦赛的大赛氛围，为接下来与土耳其队、意大利队的比赛找到最佳状态。100 多位中国球迷专程到现场为中国女排加油，见证了这场兵不血刃的 3：0。穿上新球衣的姑娘们也特别精神，每位球员出场时，中国球迷都会挥舞着手中的五星红旗，发出最热烈的呐喊。

2018年9月29日 2018年女排世锦赛 小组赛 中国 3-0 古巴
(25－12、25－23、25－14)

中国球员数据统计

号码	球员姓名 中文名	外文名	比赛局数 1	2	3	4	5	位置	总得分	进攻 得分	次数	得分率	拦网 得分	次数	发球 得分	次数
1	袁心玥	Xinyue Yuan	⑥	⑥	⑥			副攻	16	9	14	64.3%	7	14	0	5
2	朱婷	Ting Zhu	②	②	②			主攻	16	12	25	48.0%	2	5	2	18
6	龚翔宇	Xiangyu Gong	④	④	④			接应	9	6	13	46.2%	3	7	0	9
12	李盈莹	Yingying Li			⑤			主攻	8	6	15	40.0%	1	1	1	5
9	张常宁	Changning Zhang	⑤	⑤				主攻	7	4	8	50.0%	3	6	0	7
17	颜妮	Ni Yan	③	③	③			副攻	3	3	8	37.5%	0	8	0	5
16	丁霞	Xia Ding	①	①				二传	2	–	–	–	1	3	1	10
8	曾春蕾	Chunlei Zeng	⑯		⑤			接应	1	1	1	100.0%	–	–	0	1
5	胡铭媛	Mingyuan Hu	⑰	⑰	⑰			副攻	–	–	–	–	–	–	0	11
11	姚迪	Di Yao	⑯		①			二传	–	–	–	–	0	3	0	2
4	杨涵玉	Hanyu Yang						副攻	–	–	–	–	–	–	–	–
10	刘晓彤	Xiaotong Liu						主攻	–	–	–	–	–	–	–	–
15	林莉	Li Lin		L	L			自由人	–	–	–	–	–	–	–	–
18	王梦洁	Mengjie Wang	L	L				自由人	–	–	–	–	–	–	–	–
对方失误								–	13	–	–	–	–	–	–	–
全队合计								–	75	41	84	48.8%	17	47	4	73

注：● 为首发出场，其中数字为站位；○ 为替补出场，其中数字为所替换球员号码；L 为出场自由人，后表同。

③ 师徒对决丨郎平再给古德蒂上课
2018 年 9 月 30 日，中国 3：0 土耳其

说起土耳其队来，他们的主教练乔瓦尼·古德蒂和郎平之间还有一段故事呢。早年，当郎平执教意大利俱乐部球队摩纳德队的时候，球员时代成绩相当平庸的古德蒂跑到俱乐部观摩郎平的执教，找郎平学艺，可以说，正是因为郎平，时年 23 岁的他才选择了排球教练这条路。在东京奥运周期，古德蒂接手年轻的土耳其女排。经过两年的打磨，古德蒂终于在 2018 年世界联赛上带领土耳其女排爆冷获得亚军，自己也迈进了世界名帅的行列。如今，两位世界级主帅个人魅力十足，两支世界顶尖水平球队的较量，自然十分精彩。

比赛中，土耳其整体攻防均衡，节奏快，发球质量高，对中国女排的重点队员诸如朱婷制订了

针对性战术。但朱婷不愧为世界第一主攻，整场火力全开，贡献 15 分；张常宁则延续了之前的好状态，轰下 9 分；袁心玥也发挥出色，献上多次精彩拦网。在现场不断响起的 Monster Block 魔性音乐中，中国队的大胜，无疑证明：在郎平和古德蒂的师徒对决中，徒弟日后需要请教的东西还多。

2018年9月30日 2018年女排世锦赛 小组赛 中国 3-0 土耳其
(25－18、25－23、25－23)

中国球员数据统计

号码	中文名	外文名	1	2	3	4	5	位置	总得分	得分	次数	得分率	得分	次数	得分	次数
			比赛局数							进攻			拦网		发球	
2	朱婷	Ting Zhu	❷	❷	❷			主攻	16	15	29	51.7%	1	6	0	16
9	张常宁	Changning Zhang	❺	❺	❺			主攻	12	9	18	50.0%	3	9	0	14
1	袁心玥	Xinyue Yuan	❻	❻	❻			副攻	7	5	12	41.7%	2	10	0	9
17	颜妮	Ni Yan	❸	❸	❸			副攻	7	4	5	80.0%	3	5	0	7
6	龚翔宇	Xiangyu Gong	❹	❹	❹			接应	6	6	17	35.3%	0	4	0	13
16	丁霞	Xia Ding	❶	❶	❶			二传	2	2	4	50.0%	0	10	0	11
8	曾春蕾	Chunlei Zeng		⑯				接应	1	1	2	50.0%	0	0	0	0
4	杨涵玉	Hanyu Yang						副攻	—	—	—	—	—	—	—	—
5	胡铭媛	Mingyuan Hu	⑰	⑰	⑰			副攻	—	—	—	—	—	—	0	3
10	刘晓彤	Xiaotong Liu						主攻	—	—	—	—	—	—	—	—
11	姚迪	Di Yao		⑥				二传	—	—	—	—	—	—	—	—
12	李盈莹	Yingying Li						主攻	—	—	—	—	—	—	—	—
15	林莉	Li Lin		L	L			自由人	—	—	—	—	—	—	—	—
18	王梦洁	Mengjie Wang	L	L	L			自由人	—	—	—	—	—	—	—	—
	对方失误								24	—	—	—	—	—	—	—
	全队合计							—	75	42	87	48.3%	9	44	0	73

特训 | 国庆节过成了劳动节
2018 年 10 月 1 日，休赛日

世锦赛的第 1 个休赛日正值中国国庆节长假的第 1 天，但对中国女排来说，这只是一个普通的训练日。郎平幽默地说："我们过的不是国庆节，是劳动节。"队员们准时出现在训练馆，开始这一天的训练。连续两个比赛日后，其他国家的队伍开始休息调整，适当减小训练量，偌大的场馆内只有中国女排姑娘们的呐喊和击球声。

"很多队伍比赛 3 天以后就会开始调整休息，但中国女排一定会把主办方安排的训练时间都训练满，如果等一下土耳其队不来，我们还会继续练下去。中国队的训练量差不多是其他队伍的两倍。"体能教练雷特·拉尔森介绍说。

正常的训练结束后，中国女排又加练了 1 小时的力量。中国女排争分夺秒地备战，正是应了那句话：比你优秀的人还比你努力。

连胜，局分 | 年轻人的遭遇战
2018 年 10 月 2 日，中国 3：0 加拿大

休赛结束后，战火重燃，中国女排以 3：0 完胜加拿大队，至此，中国队已连胜 3 场，连胜 9 局。这场比赛对中国队来说是难得的练兵机会，李盈莹、胡铭媛等新秀纷纷出场，为后边的硬仗积累

加拿大队对于中国女排来说是比较陌生的对手，在对阵中，前两局中国队打得不够紧凑，一度有些被动，好在队员们顶住压力，及时调整，化险为夷。正如郎平总结时所说："想到了困难，打遭遇战应变比较慢。准备会也说了，摸不到对方节奏前，先把一攻打好。加拿大发球冲得不错，第 1 局和第 2 局落后，大家一攻差不多，我们的拦网和防守不奏效，打得很被动。关键时刻我们队员还是不错的。"

2018年10月2日 2018年女排世锦赛 小组赛 中国 3-0 加拿大
(25 - 21、25 - 21、25 - 13)

中国球员数据统计

号码	球员姓名 中文名	外文名	比赛局数 1	2	3	4	5	位置	总得分	进攻 得分	次数	得分率	拦网 得分	次数	发球 得分	次数
2	朱婷	Ting Zhu	❷	❷	❶			主攻	14	12	21	57.1%	1	5	1	14
1	袁心玥	Xinyue Yuan	❻	❻	❺			副攻	10	6	11	54.5%	3	12	1	10
6	龚翔宇	Xiangyu Gong	❹	❹	❸			接应	9	8	17	47.1%	1	6	0	10
10	刘晓彤	Xiaotong Liu	❺	❺				主攻	7	5	12	41.7%	1	2	1	4
17	颜妮	Ni Yan	❸	❸	❷			副攻	7	5	8	62.5%	2	5	0	6
12	李盈莹	Yingying Li		⑩	❹			主攻	6	3	12	25.0%	1	2	2	14
5	胡铭媛	Mingyuan Hu			⑰			副攻	1	0	1	0.0%	1	1	0	1
8	曾春蕾	Chunlei Zeng	⑱					接应	1	0	2	0.0%	—	—	1	2
11	姚迪	Di Yao	⑥		⑮			二传	1	1	1	100.0%	—	—	0	2
16	丁霞	Xia Ding	❶	❶	❻			二传	—	—	—	—	0	4	0	10
4	杨涵玉	Hanyu Yang						副攻	—	—	—	—	—	—	—	—
9	张常宁	Changning Zhang						主攻	—	—	—	—	—	—	—	—
15	林莉	Li Lin	L	L	L			自由人	—	—	—	—	—	—	—	—
18	王梦洁	Mengjie Wang		L	L			自由人	—	—	—	—	—	—	—	—
	对方失误								—	19	—	—	—	—	—	—
	全队合计								—	75	40	85	47.1%	10	37	6	73

⑥ 四连胜丨老将休息不得

2018 年 10 月 3 日，中国 3：1 保加利亚

中国女排和保加利亚女排颇有渊源：1998 年的世锦赛，中国女排因在小组赛中输给韩国队，复赛阶段的出线形势极为不利。但保加利亚队在复赛中爆冷战胜韩国队，令中国队重燃出线希望，绝境逢生的中国女排在复赛最后一轮横扫保加利亚队得以入围四强，并最终获得亚军。当时的中国女排，主教练也是郎平，而队长则是现在的女排助理教练赖亚文。

本场比赛，中国女排第 1 局自身失误太多，节奏没有踩上，被对方打得比较被动。郎指导原本希望丁霞能够在本场比赛中休息调整，缓解伤势，但是由于比赛进程不太顺，还是换上了丁霞。好在第 2 局中队伍逐渐找回了状态，连扳 3 局拿下对手。

本届世锦赛是东京奥运周期的第 1 个重大赛事，外界对女排寄予很高期望，甚至有媒体提出了"三连冠"的目标。不过，在郎平看来，球队在很多环节相比美国队、塞尔维亚队都有差距，闯进前六是较为现实的。

中国球员数据统计

2018年10月3日 2018年女排世锦赛 小组赛 中国 3-1 保加利亚
（22-25、25-22、25-14、25-17）

号码	中文名	外文名	1	2	3	4	5	位置	总得分	进攻得分	进攻次数	进攻得分率	拦网得分	拦网次数	发球得分	发球次数
2	朱婷	Ting Zhu	①	④	①	①		主攻	21	19	51	37.3%	2	9	0	14
1	袁心玥	Xinyue Yuan	⑤	②	⑤	⑤		副攻	12	11	19	57.9%	1	9	0	18
6	龚翔宇	Xiangyu Gong	⑧	⑥	③	③		接应	11	7	21	33.3%	3	8	1	13
17	颜妮	Ni Yan	②	⑤	②	②		副攻	11	8	14	57.1%	3	14	0	16
12	李盈莹	Yingying Li		⑨	④	④		主攻	10	7	18	38.9%	2	5	1	8
9	张常宁	Changning Zhang	④	①		⑫		主攻	8	7	17	41.2%	1	6	0	9
8	曾春蕾	Chunlei Zeng	③					接应	2	1	4	25.0%	0	1	1	3
11	姚迪	Di Yao	⑥					二传	1	1	1	100.0%	0	3	0	3
16	丁霞	Xia Ding		③	⑥	⑥		二传	1	0	1	0.0%	1	8	0	12
4	杨涵玉	Hanyu Yang						副攻	–	–	–	–	–	–	–	–
5	胡铭媛	Mingyuan Hu						副攻	–	–	–	–	–	–	–	–
10	刘晓彤	Xiaotong Liu						主攻	–	–	–	–	–	–	–	–
15	林莉	Li Lin	L	L	L	L		自由人	–	–	–	–	–	–	–	–
18	王梦洁	Mengjie Wang	L	L	L	L		自由人	–	–	–	–	–	–	–	–
	对方失误							–	20	–	–	–	–	–	–	–
	全队合计							–	97	61	146	41.8%	13	63	3	96

⑦ 首尝败绩 | 硬骨头需要慢慢啃，急不得

2018 年 10 月 4 日，中国 1：3 意大利

中国女排的小组赛收官战于 10 月 4 日开战，对手是同为四连胜的意大利女排。这场硬仗也是此次中国女排在札幌市的小组赛 B 组头名之战。

本届世锦赛，意大利女排虽然派出一支超级年轻的球队，只有 3 位 80 后的老将压阵，但在保拉·艾格努的带领下，这批队员敢于发挥，在攻防两端都有较为出色的表现，上一轮更是全面压制土耳其队，让古德蒂的球队没有任何办法。因此，对阵意大利队注定是一场硬仗，中国女排必须在世界大赛中学习、成长。面对已经豪取四连胜的劲敌，中国队先赢 1 局后没能抵挡住反扑，攻拦表现稍逊，结果连输 3 局，最终以 1：3 落败，遭遇首场失利。

此战结束，中国女排以 4 胜 1 负的战绩获得小组第 2，晋级第二阶段的复赛。

回顾并总结中国女排的小组赛表现，总体可圈可点。

首场 3：0 击败古巴队，中国队在场面上占据全面的主动，延续对对手的优势。第 2 场面对土耳其队，对手在发球环节给中国队制造了足够多的麻烦，有 6 个直接得分。但土耳其队没能控制住失误，关键时刻总是用自己失误的方式给中国姑娘们"送大礼"，"协助"中国队以 3：0 拿下胜利。第 3 场面对相对比较陌生的加拿大队，姑娘们前两局状态有所起伏但及时调整，第 3 局掌控住了局面，结果又以 3：0 胜出。

第 4 场迎战保加利亚女排，首局 22：25，中国女排丢掉了本届世锦赛的第 1 局。第 2 局末段李盈莹后攻挑战鹰眼成功成为转折点，姑娘们一鼓作气，最终以 3：1 逆转保加利亚队。朱婷得到了全场最高的 21 分，无愧为核心。张常宁和李盈莹互相弥补，尤其是后者，第 1 年进入国家队就能在关键时刻下球，体现出了一颗大心脏。

对于接下来第二阶段的比赛，郎平和她的女排姑娘急不得，急也没用——世锦赛这种大赛场场都是硬仗，一定要有定力，慢慢啃，一场一场地打！

2018年10月4日 2018年女排世锦赛 小组赛 中国 1-3 意大利
(25-20、24-26、16-25、20-25)

中国球员数据统计

号码	中文名	外文名	1	2	3	4	5	位置	总得分	得分	次数	得分率	得分	次数	得分	次数
2	朱婷	Ting Zhu	②	②	②	①		主攻	20	17	38	44.7%	2	11	1	14
17	颜妮	Ni Yan	③	③	③	②		副攻	16	11	18	61.1%	4	12	1	11
6	龚翔宇	Xiangyu Gong	④	④	④	③		接应	11	8	21	38.1%	2	6	1	11
1	袁心玥	Xinyue Yuan	⑥	⑥	⑥	⑤		副攻	6	6	12	50.0%	0	4	0	15
9	张常宁	Changning Zhang	⑤	⑤	⑤	⑱		主攻	5	4	14	28.6%	1	3	0	9
12	李盈莹	Yingying Li			⑦	⑩		主攻	2	2	10	20.0%	0	1	0	2
5	胡铭媛	Mingyuan Hu		⑰		⑰		副攻	1	–	–	–	–	–	1	3
10	刘晓彤	Xiaotong Liu				④		主攻	1	1	6	16.7%	0	1	0	2
16	丁霞	Xia Ding	①	①	①	⑥		二传	1	1	1	100.0%	0	5	0	18
4	杨涵玉	Hanyu Yang						副攻	–	–	–	–	–	–	–	–
8	曾春蕾	Chunlei Zeng			⑱			接应	–	–	–	–	0	1	–	–
11	姚迪	Di Yao			⑤	⑥		二传	–	–	–	–	–	–	0	1
15	林莉	Li Lin			L	L		自由人	–	–	–	–	–	–	–	–
18	王梦洁	Mengjie Wang	L	L	L	L	L	自由人	–	–	–	–	–	–	–	–
	对方失误								–	22						
	全队合计								–	85	50	120	41.7%	9	44	4	86

排名	球队	已赛	胜场	负场	积分	胜局	负局	比率	得分	失分	比率
1	意大利	5	5	0	15	15	1	15.000	396	290	1.365
2	中国	5	4	1	12	13	4	3.250	407	342	1.190
3	土耳其	5	3	2	9	9	7	1.285	364	309	1.177
4	保加利亚	5	2	3	6	7	10	0.700	361	383	0.942
5	加拿大	5	1	4	3	4	13	0.307	332	401	0.827
6	古巴	5	0	5	0	2	15	0.133	279	414	0.673

⑧ 转战大阪 | 中美俄"大国"角力，场场硬仗
2018 年 10 月 4 日～ 5 日，休赛日

小组赛结束，女排姑娘们转战大阪，迎接第二阶段的比赛。

第一阶段的小组赛共分为 A、B、C、D 等 4 个小组，阶段性比赛结束，A 组和 D 组的前 4 名组成 E 组，B 组和 C 组的前 4 名组成 F 组，共 16 支球队进行循环赛（在小组赛中相互交过手的双方不再对阵，但成绩要带入这一阶段比赛），即复赛，由此决出第三阶段的六强名单。即是说，第二阶段的复赛是 16 进 6，相当残酷。

在这波对决中，诸如波多黎各队、墨西哥队、阿塞拜疆队、保加利亚队等弱队很可能就此止步，而即使是塞尔维亚队、中国队、荷兰队、巴西队、意大利队、美国队、俄罗斯队等 7 支顶级强队，也至少有 1 支队伍无缘六强。

这就是世锦赛，排球世界最残酷的争夺。

身处 F 组的中国女排要想成功晋级六强，至少需要拿下 6 场胜利，即是说，她们至少还要赢两场。然而，F 组除了在第一阶段小组赛已经与中国队交手而不用再战的 3 支 B 组球队外，其他

的 4 个对手，除阿塞拜疆队外的几支球队实力都不容小觑：作为上届世锦赛的冠军，美国队一直以其卓越的稳定性被视为夺冠最大热门；俄罗斯女排也是排坛劲旅，拥有世界三大赛历史夺冠总数最多的殊荣，在之前结束的 C 组头名争夺战中，她们虽然败给了美国队，但也展示出了强大的攻防能力；也别忘了泰国队，她们经常能在亚洲排坛拿到亚军。

这样的赛制，中国女排不能有任何闪失——残酷赛制要求队员们必须有更强大的心理素质。

9 第 4 个 3：0 | 姑娘们准备好了

2018 年 10 月 7 日，中国 3：0 泰国

第二阶段的复赛，中国女排的第 1 个对手便是泰国队，对于刚刚在亚运会决赛中击败对手的中国女排来说，拿下此役十分关键。这也需要女排姑娘们积极调整心态，做好十足的准备迎接挑战。

就像郎平说的，先不要想那么远，打好当下的比赛，在硬仗中要有更多的定力，慢慢咬，慢慢啃！见过无数大场面的郎平显得平静依旧，但从她坚毅的眼神中，你能读出她对这支队伍的信心。

狭路相逢勇者胜，女排姑娘们有信心，果然，继亚运会决赛后，中国女排仅用时 1 小时 22 分钟便再次以 3：0 击败泰国队。尽管泰国队制造了一些威胁，但中国女排全队通力协作，赢得了最终胜利。这场比赛也说明中国队做好了面对困难的准备，能够及时调整，及时转换节奏，发挥身高优势，以迎接第二阶段的挑战。

2018年10月7日 2018年女排世锦赛 复赛第1轮 中国 3-0 泰国
(28-26、25-20、25-23)

中国球员数据统计

号码	中文名	外文名	1	2	3	4	5	位置	总得分	进攻 得分	进攻 次数	进攻 得分率	拦网 得分	拦网 次数	发球 得分	发球 次数
2	朱婷	Ting Zhu	④	④	④			主攻	20	19	32	59.4%	1	7	0	14
6	龚翔宇	Xiangyu Gong	⑥	⑥	⑥			接应	18	17	21	81.0%	1	4	0	8
1	袁心玥	Xinyue Yuan	②	②	②			副攻	11	7	11	63.6%	1	8	3	18
16	丁霞	Xia Ding	③	③	③			二传	5	3	3	100.0%	2	6	0	13
9	张常宁	Changning Zhang	①	①	①			主攻	3	3	9	33.3%	0	2	0	11
17	颜妮	Ni Yan	⑤	⑤	⑤			副攻	3	2	6	33.3%	1	6	0	9
12	李盈莹	Yingying Li			④			主攻	2	2	2	100.0%	0	1	0	2
4	杨涵玉	Hanyu Yang						副攻	--	--	--	--	--	--	--	--
5	胡铭媛	Mingyuan Hu	⑰		⑰			副攻	--	--	--	--	--	--	0	1
8	曾春蕾	Chunlei Zeng						接应	--	--	--	--	--	--	--	--
10	刘晓彤	Xiaotong Liu						主攻	--	--	--	--	--	--	--	--
11	姚迪	Di Yao						二传	--	--	--	--	--	--	--	--
15	林莉	Li Lin	L					自由人	--	--	--	--	--	--	--	--
18	王梦洁	Mengjie Wang	L	L	L			自由人	--	--	--	--	--	--	--	--
	对方失误								--	16	--	--	--	--	--	--
	全队合计								--	78	53	84	63.1%	6	34	3	76

10 第5个3：0丨主力完全激活
2018年10月8日，中国 3：0 阿塞拜疆

第二阶段的第2场比赛，中国女排同样是 3：0 完胜，对手是阿塞拜疆队。在这场比赛中，中国队成功限制住了对手的重炮手波利娜·拉伊莫娃，袁心玥、张常宁、龚翔宇的状态也纷纷被激活，她们在网口力压高举高打的对手，进攻和拦网大胜对手 19 分之多。

2018年10月8日 2018年女排世锦赛 复赛第2轮 中国 3-0 阿塞拜疆
（25-17、25-16、25-17）

中国球员数据统计

号码	中文名	外文名	1	2	3	4	5	位置	总得分	进攻得分	进攻次数	进攻得分率	拦网得分	拦网次数	发球得分	发球次数
1	袁心玥	Xinyue Yuan	❷	❷	❷			副攻	17	10	16	62.5%	2	11	5	20
6	龚翔宇	Xiangyu Gong	❻	❻	❻			接应	13	12	18	66.7%	1	5	0	6
2	朱婷	Ting Zhu	❹	❹	❹			主攻	12	11	26	42.3%	1	2	0	10
9	张常宁	Changning Zhang	❶	❶	❶			主攻	9	6	13	46.2%	3	7	0	10
17	颜妮	Ni Yan	❺	❺	❺			副攻	7	5	8	62.5%	2	6	0	10
16	丁霞	Xia Ding	❸	❸	❸			二传	3	1	2	50.0%	0	3	2	12
4	杨涵玉	Hanyu Yang						副攻	–	–	–	–	–	–	–	–
5	胡铭媛	Mingyuan Hu		⑰				副攻	–	–	–	–	–	–	0	5
8	曾春蕾	Chunlei Zeng						接应	–	–	–	–	–	–	–	–
10	刘晓彤	Xiaotong Liu						主攻	–	–	–	–	–	–	–	–
11	姚迪	Di Yao						二传	–	–	–	–	–	–	–	–
12	李盈莹	Yingying Li						主攻	–	–	–	–	–	–	–	–
15	林莉	Li Lin						自由人	–	–	–	–	–	–	–	–
18	王梦洁	Mengjie Wang	L	L	L			自由人	–	–	–	–	–	–	–	–
		对方失误							–	14	–	–	–	–	–	–
		全队合计							–	75	45	83	54.2%	9	34	7	73

11 生死战就要来了丨玩命
2018 年 10 月 9 日，休赛日

1 天之后，中国女排将连续迎战美国队和俄罗斯队，这两场比赛也是冲击六强的生死战。展望前景的时候，郎平说："形势挺严峻的，每一局每一分都在算，不知道后边谁让谁呢，打美国、俄罗斯两场比赛得做好困难准备了，不管打谁都得玩命，每分都要计较。"

12 遇强则强丨大胜宿敌，提前晋级六强
2018 年 10 月 10 日，中国 3：0 美国

第二阶段的复赛继续进行，F 组的战况出乎所有人的预料：中国女排 3：0 完胜美国队，取得了复赛的三连胜。算上第一阶段的成绩，中国队此时已经是 7 胜 1 负积 21 分，位居 F 组第 2，提前 1 轮进军六强战了。

交战之前，美国队在本届世锦赛还未尝败绩，与中国队在近期交手记录中也略处上风，因此，对这场比赛中国女排做足了困难准备，赛前封闭训练中队员们状态轻松，郎平特意提到："中美战是生死战，我们从各个方面详细准备，给队员做出战术计划，关键是要坚决执行。"

姑娘们做到了。

至此，中美两队在世锦赛交手 8 次，各赢 4 场，算是平分秋色，不分伯仲。而中国女排此役获胜，也是报了上届世锦赛决赛输给对手的一箭之仇；纵观世界三大赛，中国女排上次击败美国队还是在 2006 年的世锦赛。这也是中国队近 12 年来首次在世界三大赛中击败最强劲对手。

2018年10月10日 2018年女排世锦赛 复赛第3轮 中国 3-0 美国
(25-17、26-24、25-18)

中国球员数据统计

号码	中文名	外文名	1	2	3	4	5	位置	总得分	进攻 得分	进攻 次数	进攻 得分率	拦网 得分	拦网 次数	发球 得分	发球 次数
2	朱婷	Ting Zhu	①	②	①			主攻	19	17	32	53.1%	1	4	1	15
6	龚翔宇	Xiangyu Gong	③	④	③			接应	14	11	23	47.8%	3	7	0	9
17	颜妮	Ni Yan	②	③	②			副攻	11	7	16	43.8%	3	17	1	12
1	袁心玥	Xinyue Yuan	⑤	⑤	⑤			副攻	8	7	11	63.6%	1	7	0	10
9	张常宁	Changning Zhang	④	⑤	④			主攻	8	7	13	53.8%	1	6	0	11
16	丁霞	Xia Ding	⑥	①	⑥			二传	1	0	2	0.0%	0	12	1	15
4	杨涵玉	Hanyu Yang						副攻	—	—	—	—	—	—	—	—
5	胡铭媛	Mingyuan Hu		⑰				副攻	—	—	—	—	—	—	0	3
8	曾春蕾	Chunlei Zeng						接应	—	—	—	—	—	—	—	—
10	刘晓彤	Xiaotong Liu						主攻	—	—	—	—	—	—	—	—
11	姚迪	Di Yao						二传	—	—	—	—	—	—	—	—
12	李盈莹	Yingying Li						主攻	—	—	—	—	—	—	—	—
15	林莉	Li Lin						自由人	—	—	—	—	—	—	—	—
18	王梦洁	Mengjie Wang	L	L	L			自由人	—	—	—	—	—	—	—	—
	对方失误								—	15	—	—	—	—	—	—
	全队合计								—	76	49	97	50.5%	9	53	3	75

⑬ 复赛收官丨才斩美国，又复仇俄罗斯

2018 年 10 月 11 日，中国 3∶1 俄罗斯

第二阶段的复赛要打收官战了，尽管此战无关痛痒，但中国女排还是以 3∶1 击败了俄罗斯队，而这，也是她们时隔 20 年再次在世锦赛中击败对手。至此，中国女排复赛全胜，以 8 胜 1 负的总战绩位居小组第 2。

对于第二阶段的比赛，郎平指出："这几场下来队伍锻炼挺大的，生死战中如何调节好自己的心情，更专注地打好每一场比赛，说起来容易，但做起来难。队员们在大赛中相互的默契很重要。赛前没有分析未来对手，目的很明确，和世界强队比赛是我们特别好的锻炼机会。"

2018年10月11日 2018年女排世锦赛 复赛末轮 中国 3-1 俄罗斯
(25-22、21-25、25-23、25-15)

中国球员数据统计

号码	中文名	外文名	1	2	3	4	5	位置	总得分	进攻 得分	进攻 次数	进攻 得分率	拦网 得分	拦网 次数	发球 得分	发球 次数
17	颜妮	Ni Yan	②	②	②	②		副攻	16	7	11	63.6%	6	22	3	17
1	袁心玥	Xinyue Yuan	⑤	⑤	⑤	⑤		副攻	15	8	16	50.0%	3	19	4	20
6	龚翔宇	Xiangyu Gong	③	③	③	③		接应	14	10	24	41.7%	3	11	1	12
12	李盈莹	Yingying Li		②	①	①		主攻	14	10	17	58.8%	1	3	3	13
2	朱婷	Ting Zhu	①	①	④	④		主攻	9	8	25	32.0%	0	5	1	14
9	张常宁	Changning Zhang	④	④				主攻	5	5	11	45.5%	0	1	0	3
8	曾春蕾	Chunlei Zeng		⑮				接应	1	1	3	33.3%	0	2	0	2
11	姚迪	Di Yao		⑥	⑥			二传	1	—	—	—	1	2	0	2
16	丁霞	Xia Ding	⑥	⑥	①	⑥		二传	0	0	1	0.0%	0	9	0	12
10	刘晓彤	Xiaotong Liu			②	②		主攻	0	0	1	0.0%	—	—	—	—
4	杨涵玉	Hanyu Yang						副攻	—	—	—	—	—	—	—	—
5	胡铭媛	Mingyuan Hu						副攻	—	—	—	—	—	—	—	—
15	林莉	Li Lin						自由人	—	—	—	—	—	—	—	—
18	王梦洁	Mengjie Wang	L	L	L	L		自由人	—	—	—	—	—	—	—	—
	对方失误								—	21	—	—	—	—	—	—
	全队合计								—	96	49	109	45.0%	14	74	12	95

排名	球队	胜负场			积分	胜负局			得失分		
		已赛	胜场	负场		胜局	负局	比率	得分	失分	比率
1	意大利	9	9	0	27	27	3	9.000	738	538	1.371
2	中国	9	8	1	24	25	5	5.000	732	605	1.209
3	美国	9	7	2	19	22	11	2.000	743	658	1.129
4	俄罗斯	9	6	3	18	22	12	1.833	776	682	1.137
5	土耳其	9	5	4	15	15	15	1.000	663	633	1.047
6	保加利亚	9	4	5	11	14	18	0.777	674	722	0.933
7	泰国	9	3	6	11	16	22	0.727	776	826	0.939
8	阿塞拜疆	9	2	7	6	8	22	0.363	630	706	0.892

⑭ 转战名古屋 | 抽签揭晓
2018 年 10 月 12 日～ 13 日，休赛日

第三阶段的六强赛抽签揭晓，6 支球队分组对决：塞尔维亚队、意大利队、日本队在 G 组，中国队、荷兰队、美国队在 H 组。中国女排将于 10 月 14 日至 16 日在名古屋市日本综合体育馆开始新征程。简单回顾第二阶段的复赛，就像郎平说的，中国女排还可以，重点是第三阶段。

她说，第三阶段要看体能，各个方面要做好充分准备，大家一起咬牙坚持，大家都打了这么多，要尽快调整。

⑮ 双杀美国 | 握紧了主动权
2018 年 10 月 14 日，中国 3∶2 美国

六强战在名古屋综合体育馆拉开战幕，中国女排继复赛后再次击败美国队。与复赛不同的是，美国队这次可是准备充分，再度交锋，中国女排是在 1∶2 落后的极度不利局面下顶住巨大压力，连扳两局，以 3∶2 逆转对手的。

本场比赛，李盈莹替补出场获得 12 分，为中国女排的获胜立下了汗马功劳。赛后郎平在点评时，也认为李盈莹是比赛的转折点："她加强了进攻。其实我调换了位置，每个位置都要试试。"

"之前比赛到现在每次出场都是积累比赛经验，我也及时总结，越来越好，上场后达到忘我的境界，打出年轻队员的拼劲。"李盈莹也很是开心。

中国球员数据统计

2018年10月14日 2018年女排世锦赛 六强赛首场 中国 3-2 美国
（25-22、19-25、20-25、25-23、15-9）

号码	中文名	外文名	1	2	3	4	5	位置	总得分	得分	次数	得分率	得分	次数	得分	次数
			比赛局数							进攻			拦网		发球	
2	朱婷	Ting Zhu	①	②	①	④	④	主攻	25	23	56	41.1%	1	4	1	21
17	颜妮	Ni Yan	②	③	②	②	②	副攻	13	8	16	50.0%	5	16	0	14
9	张常宁	Changning Zhang	④	⑤	④			主攻	12	10	28	35.7%	2	3	0	9
12	李盈莹	Yingying Li			⑨	①	①	主攻	12	9	20	45.0%	1	3	2	10
1	袁心玥	Xinyue Yuan	⑤	⑥	⑤	⑤	⑤	副攻	10	7	19	36.8%	3	17	0	14
6	龚翔宇	Xiangyu Gong	③	④	③	⑬	③	接应	7	5	15	33.3%	2	7	0	12
8	曾春蕾	Chunlei Zeng		⑬	⑥	③		接应	6	4	9	44.4%	0	4	2	10
16	丁霞	Xia Ding	⑥	①	⑥	⑥	⑥	二传	1	0	2	0.0%	1	7	0	11
4	杨涵玉	Hanyu Yang						副攻	—	—	—	—	—	—	—	—
5	胡铭媛	Mingyuan Hu	⑰			⑰	⑰	副攻	—	—	—	—	—	—	0	3
10	刘晓彤	Xiaotong Liu						主攻	—	—	—	—	—	—	—	—
11	姚迪	Di Yao		⑮		⑬		二传	—	—	—	—	—	—	—	—
15	林莉	Li Lin						自由人	—	—	—	—	—	—	—	—
18	王梦洁	Mengjie Wang	L	L	L	L	L	自由人	—	—	—	—	—	—	—	—
	对方失误								—	18	—	—	—	—	—	—
	全队合计								—	104	66	165	40.0%	15	61	5	104

16 提前出线丨将被欧洲围攻

2018 年 10 月 15 日，轮空

当天中国女排没有比赛，但由于同在 H 组的美国女排 2 ：3 不敌荷兰队被提前淘汰，因此，中国队和荷兰队均提前晋级半决赛；也是在这天，G 组的日本队也被淘汰了。

至此，本届世锦赛的四强全部产生了，分别是 G 组的塞尔维亚队、意大利队和 H 组的荷兰队、中国队，形成了欧洲 3 强塞尔维亚队、意大利队、荷兰队围攻 2016 里约奥运会冠军中国队的局面。第三阶段最后一个比赛日，决定的是半决赛对阵形势。

17 会师横滨丨再遇意大利队

2018 年 10 月 16 日，中国 3 ：1 荷兰

六强赛的收官战，中国女排 3 ：1 战胜荷兰女排，荣膺小组头名。在这场比赛中，朱婷在与朗妮克·斯洛特耶斯的隔网对轰中表现抢眼。前 3 局，她在进攻端火力全开，从前排轰到后排，从一次攻到反击，她都是中国女排最稳定的得分点。第 4 局李盈莹主打，朱婷保障环节到位，下三路有模有样，成为中国女排获胜的最大功臣。

而在中国队的比赛开始前，塞尔维亚队以 3 ：1 击败了意大利队，这样，半决赛的对阵形势也明朗了，中国队和意大利队将再次交锋。

接下来的比赛都将是艰苦的较量，但中国女排不惧怕任何对手，最终的道路，唯有全力以赴，每球必争。

2018年10月16日 2018年女排世锦赛 六强赛第2场 中国 3-1 荷兰
（23-25、25-13、25-18、25-17）

中国球员数据统计

号码	中文名	外文名	1	2	3	4	5	位置	总得分	得分	次数	得分率	得分	次数	得分	次数
2	朱婷	Ting Zhu	④	④	③	④		主攻	19	17	36	47.2%	2	8	0	22
1	袁心玥	Xinyue Yuan	⑤	⑤	④	⑤		副攻	16	9	21	42.9%	5	17	2	11
9	张常宁	Changning Zhang	①	①	⑥			主攻	13	11	26	42.3%	1	5	1	9
17	颜妮	Ni Yan	②	②	①	②		副攻	9	5	8	62.5%	3	12	1	15
12	李盈莹	Yingying Li	⑨			①		主攻	8	7	9	77.8%	-	-	1	7
6	龚翔宇	Xiangyu Gong	③	③	②	①		接应	6	5	16	31.3%	1	6	0	15
8	曾春蕾	Chunlei Zeng			⑱	③		接应	4	4	11	36.4%	0	1	0	6
16	丁霞	Xia Ding	⑥	⑥	⑤	⑧		二传	3	1	1	100.0%	2	4	0	7
4	杨涵玉	Hanyu Yang			⑰			副攻	-	-	-	-	-	-	0	1
5	胡铭媛	Mingyuan Hu	⑰					副攻	-	-	-	-	-	-	0	1
10	刘晓彤	Xiaotong Liu				②		主攻	-	-	-	-	-	-	-	-
11	姚迪	Di Yao			⑤	⑥		二传	-	-	-	-	-	-	0	3
15	林莉	Li Lin						自由人	-	-	-	-	-	-	-	-
18	王梦洁	Mengjie Wang	L	L	L	L		自由人	-	-	-	-	-	-	-	-
	对方失误								-	20	-	-	-	-	-	-
	全队合计								-	98	59	128	46.1%	14	53	5	97

排名	球队	已赛	胜场	负场	积分	胜局	负局	比率	得分	失分	比率
1	中国	2	2	0	5	6	3	2.000	202	177	1.141
2	荷兰	2	1	1	2	4	5	0.800	183	201	0.910
3	美国	2	0	2	2	4	6	0.666	207	214	0.967

18 救赛点｜女排精神的最完美诠释

2018 年 10 月 19 日，中国 2 ∶ 3 意大利

在半决赛的较量中，中国女排尽管 5 救赛点，但最终依然以 2 ∶ 3 惜败给了意大利队。其中，第 4 局的走势牵动着全体中国球迷的心——中国队已经大比分 1 ∶ 2 落后，如果第 4 局落败就彻底无缘决赛。而在双方战成 23 ∶ 23 之后，既戏剧性又令人窒息的时刻来了——中国队的局点和意大利队的赛点，交替出现：

意大利队在暂停过后，艾格努一攻失误，24 ∶ 23，中国队反超并第 1 次获得局点。

艾格努强攻命中，24 ∶ 24，意大利队追平；接着张常宁反击出界，24 ∶ 25，中国队送给意大利队赛点。

紧接着颜妮快球拿分；胡铭媛上场发球，艾格努强攻命中；李盈莹打手出界；艾格努强攻被拦，27 ∶ 26，中国队局点。

随后，艾格努再追平，袁心玥背飞打中，28 ∶ 27，中国队局点。

艾格努的四号位扣球追平，朱婷反击斜线得手，29 ∶ 28，中国队局点。

塞拉反击下球，颜妮背飞取分，30 ∶ 29，中国队局点。

朱婷反击打中，31 ∶ 29，中国队获胜。

战至此刻，双方的总比分变成了 2∶2，回到了同一起跑线上。虽然最终是中国女排在第 5 局告负，但是，这却是一场伟大的对决。

有关中国女排和意大利女排在世锦赛半决赛中上演的 5 局苦战，每个人心中都会有自己的看法和定义，但无论如何改变不了的是，这场对决的属性是——伟大！

4 年前，意大利米兰，世锦赛半决赛，中国女排对阵意大利女排，在几乎不被看好的局面下，姑娘们高扬起头颅，打出荡气回肠的好球，朱婷也从此被世界认可，走向她更广阔的荣誉殿堂；4 年后，不是冤家不聚头，从小组赛打到了半决赛，从无关生死到生死对决——意大利这样的对手，每次相见，都是杀红了眼，想用尽所有的力气证明谁才是更强的。她们面对中国女排，复仇的欲望如同烈火，正因为如此，中意对决才如此吸引人，如此扣人心弦。

囚为 4 年前中国女排赢过意大利队，因为中国女排是奥运冠军，因为中国女排在再遇意大利队之前看似找到了克敌制胜的办法，所以，大家期待着中国女排能复制 4 年前的荡气回肠，能弥补中国女排在世界三大赛独缺的最后拼图。只可惜，胜利离中国女排那么近，也那么远。

但是，能打出让人们超越胜负并依旧记忆深刻的比赛，放眼中国体育界，唯有中国女排能够做到。

2018年10月19日 2018年女排世锦赛 半决赛 中国 2-3 意大利
（18-25、25-21、16-25、31-29、15-17）

中国球员数据统计

号码	中文名	外文名	1	2	3	4	5	位置	总得分	进攻 得分	进攻 次数	进攻 得分率	拦网 得分	拦网 次数	发球 得分	发球 次数
2	朱婷	Ting Zhu	④	④	④	④	④	主攻	26	23	55	41.8%	3	7	0	16
17	颜妮	Ni Yan	②	⑤	⑤	⑤	⑤	副攻	17	11	19	57.9%	6	20	0	11
1	袁心玥	Xinyue Yuan	⑤	②	②	②	②	副攻	16	13	30	43.3%	0	15	3	23
6	龚翔宇	Xiangyu Gong	③	⑥	⑥	⑥	⑥	接应	8	7	22	31.8%	1	9	0	15
12	李盈莹	Yingying Li	③	①	①	③	③	主攻	8	5	17	29.4%	1	7	2	13
5	胡铭媛	Mingyuan Hu		⑰	⑰	⑰	⑰	副攻	2	—	—	—	—	—	2	5
9	张常宁	Changning Zhang	①			①	①	主攻	1	1	10	10.0%	0	2	0	5
16	丁霞	Xia Ding	⑥	③	③	③	③	二传	1	0	2	0.0%	1	3	0	16
4	杨涵玉	Hanyu Yang						副攻	—	—	—	—	—	—	—	—
8	曾春蕾	Chunlei Zeng			⑩			接应	—	—	—	—	—	—	0	1
10	刘晓彤	Xiaotong Liu						主攻	—	—	—	—	—	—	—	—
11	姚迪	Di Yao				⑥		二传	—	—	—	—	0	1	—	—
15	林莉	Li Lin						自由人	—	—	—	—	—	—	—	—
18	王梦洁	Mengjie Wang	L	L	L	L	L	自由人	—	—	—	—	—	—	—	—
	对方失误								—	26	—	—	—	—	—	—
	全队合计								—	105	60	155	38.7%	12	64	7	105

⑲ "铜"样精彩丨开启新征程，开启 2020

2018 年 10 月 20 日，中国 3∶0 荷兰

季军战，中国女排 3∶0 再次击败荷兰女排，获得本届世锦赛的第 3 名——铜牌同样是宝贵的，沉甸甸的。同时，这也是郎平二度执教中国队后在世锦赛收获的第 2 枚奖牌。在这场比赛中，2017-2018 中国排球超级联赛 MVP（最有价值球员）李盈莹正式登上了国际大赛的舞台，她不畏强敌，拼出了自我；而老将、人称"北长城"的颜妮接连拦死世界超级接应，同样令对手叹服。

纵观本届世锦赛，中国女排总共是 11 胜 2 负，国家队南征北战、马不停蹄的 2018 年度也就此画上了句号。

中国球员数据统计

号码	中文名	外文名	1	2	3	4	5	位置	总得分	进攻 得分	进攻 次数	进攻 得分率	拦网 得分	拦网 次数	发球 得分	发球 次数
12	李盈莹	Yingying Li	❶	❷	❶			主攻	20	16	28	57.1%	0	4	4	18
1	袁心玥	Xinyue Yuan	❺	❻	❺			副攻	11	9	14	64.3%	2	7	0	11
6	龚翔宇	Xiangyu Gong	❸	❹	❸			接应	11	9	16	56.3%	2	11	0	10
2	朱婷	Ting Zhu	❹	❺	❹			主攻	10	9	18	50.0%	0	6	1	12
17	颜妮	Ni Yan	❷	❸	❷			副攻	9	5	8	62.5%	4	7	0	9
16	丁霞	Xia Ding	❻	❶	❻			二传	1	0	1	0.0%	0	7	1	14
4	杨涵玉	Hanyu Yang						副攻	—	—	—	—	—	—	—	—
5	胡铭媛	Mingyuan Hu		①				副攻	—	—	—	—	—	—	—	—
8	曾春蕾	Chunlei Zeng						接应	—	—	—	—	—	—	—	—
9	张常宁	Changning Zhang						主攻	—	—	—	—	—	—	—	—
10	刘晓彤	Xiaotong Liu						主攻	—	—	—	—	—	—	—	—
11	姚迪	Di Yao						二传	—	—	—	—	—	—	—	—
15	林莉	Li Lin						自由人	—	—	—	—	—	—	—	—
18	王梦洁	Mengjie Wang	L	L	L			自由人	—	—	—	—	—	—	—	—
	对方失误								—	13	—	—	—	—	—	—
	全队合计								—	75	48	85	56.5%	8	42	6	74

郎平说

女排精神不只是赢得冠军，而是有时候明知道不会赢，也竭尽全力；是你一路即使走得摇摇晃晃，但依然坚持站起来抖抖身上的尘土，眼中充满坚定。这是一个艰苦奋斗、不断提高、勇于挑战自我的过程。我们抓紧时间努力向上，收获了进步、成长，认识到自己的不足，明确未来的方向。

很幸运一路上得到了太多人的支持、帮助和鼓励，带给我们满满的前进动力。接下来让我们继续携手共进，为了下一个目标出发！

2018 世锦赛最终排名

排名	球队中文名	球队英文名	球队简称名	上届排名
1	塞尔维亚	Serbia	SRB	7
2	意大利	Italy	ITA	4
3	中国	China	CHN	2
4	荷兰	Netherlands	NED	13
5	美国	United States	USA	1
6	日本	Japan	JPN	7
7	巴西	Brazil	BRA	3
8	俄罗斯	Russia	RUS	5
9	多米尼加	Dominican Republic	DOM	5
10	土耳其	Turkey	TUR	9
11	德国	Germany	GER	9
12	保加利亚	Bulgaria	BUL	11
13	泰国	Thailand	THA	17
14	波多黎各	Puerto Rico	PUR	17
15	阿塞拜疆	Azerbaijan	AZE	15
16	墨西哥	Mexico	MEX	21
17	韩国	Korea	KOR	-
18	加拿大	Canada	CAN	17
19	阿根廷	Argentina	ARG	17
20	肯尼亚	Kenya	KEN	-
21	喀麦隆	Cameroon	CMR	21
22	古巴	Cuba	CUB	21
23	特立尼达和多巴哥	Trinidad and Tobago	TTO	-
24	哈萨克斯坦	Kazakhstan	KAZ	15

2018 世锦赛单项奖

最有价值球员	蒂亚娜·博斯科维奇（塞尔维亚）
最佳主攻	米里亚姆·塞拉（意大利）、朱婷（中国）
最佳副攻	颜妮（中国）、米莱娜·拉西奇（塞尔维亚）
最佳接应	保拉·艾格努（意大利）
最佳二传	奥菲丽娅·马利诺夫（意大利）
最佳自由人	莫妮卡·德吉那罗（意大利）

第三篇

14个女排姑娘的故事

文
/
刘华伟、周骁、朱妍洁、车莉
冯春晓、张蕾、贰拾、吴若旸

张常宁

排球场就是我的游乐场

出生日期：1995年11月6日
星座：天蝎座
家乡：江苏省
身高：195cm
扣球高度：315cm
拦网高度：303cm
场上位置：接应
个人爱好：看电影、读书、看剧

2018 世锦赛

　　首场对阵古巴队，张常宁首发登场，与队友击掌时跳得特别高，一局半的比赛便是 4 扣 3 拦，状态极佳，宣告了自己的强势回归。

　　在整个世锦赛期间，久违赛场的张常宁从头至尾都表现出色，扣球、发球和拦网全面开花，分担了朱婷的进攻负担，激活了整个队伍。"9 号回来了。中国队现在两翼丰满。"中土之战后，土耳其队主教练乔瓦尼·古德蒂对她不吝溢美之词，"我觉得不需要对（土耳其队）今天的失败太绝望，这样的一支中国队，能赢任何一个对手。"

因为身材高挑，容貌姣好，张常宁是女排粉丝们口中的"宝宝"；但她也是球场上的"钢铁侠"。

　　外表像公主的张常宁，内心其实比男子汉还坚强。年初的肾积水手术，之后的左膝盖十字韧带撕裂，2018，张常宁一直在和伤病做斗争。然而，纵使大半年都没有大赛练手，张常宁仍然犀利如旧，挥臂重扣、攻城破垒，世锦赛正好是她主演"王者归来"的大舞台。

　　张常宁出生于排球世家，从小打球，先是打沙滩排球，后转战室内排球，人生的关键主意都是自己拿。2014年，张常宁首次亮相国家队，出征亚洲杯便一鸣惊人，几乎场场荣膺得分王。极高的击球点，极大的杀伤力，为中国女排夺得冠军立下了汗马功劳。2015年女排世界杯，年仅20岁的张常宁临危受命，接替队长惠若琪做首发主攻，不仅主接六轮一传，拦网与扣球也都发挥出色，一路气贯长虹、势如破竹，助推中国女排时隔12年再次斩获冠军，成为中国女排历史上第1位不满20周岁就作为主力队员拿到世界冠军的主攻。

中国女排在里约奥运周期以每年推出一名世界级新人的速度竿头直上，2013 年是朱婷，2014 年是袁心玥，她们均引发了世界排坛的广泛关注；2015 年，张常宁横空出世，以过硬的技术和不失沉稳的激情一战封王，晋升领跑世界排坛的新星。至此，中国女排"朱袁张"三英齐聚，新一轮的崛起指日可待。

2016 里约奥运会，张常宁以主力身份出战，不仅能在主攻和接应这两个位置来回切换，而且均有上佳表现：总得分位于中国队前 3，一传到位率高居中国队榜首。中国女排 12 年后再登奥运之巅，鲜艳的五星红旗飘扬在里约赛场，张常宁和队友们携手站在最高的领奖台上，听着庄严的国歌高奏，迎受万众欢呼喝彩，牵动着 13 亿国人的心。

2018 年却是不顺利的。其实，张常宁早就查出了肾积水，到了 2018 年，这个问题再也无法忽视，为了不影响之后的比赛状态，她决定在 4 月份动手术。手术后 3 个月的纯粹静养，让张常宁度过了罕见的与球隔绝的时光，她说："从 8 岁开始练球，到现在 23 岁，我就没有歇过这么长时间。"然而，重归国家队刚刚找到状态时，老天又和她开了个玩笑：训练时意外受伤，经诊断为左膝盖十字韧带撕裂。

就这样，张常宁几乎错过了上半年所有的大赛。但在最后也是最重要的征程——世锦赛上，张常宁回来了。

江苏女排主教练蔡斌认为，张常宁"底子好，悟性高，应该成为场上的多面手，在最需要她的时刻顶上去"。世锦赛期间，张常宁左腿上那 10 斤重的护具，彰显着她膝盖的状态，但是，她依然顶上去了。至于蔡斌教练所说的"应该成为场上的多面手"，未来，张常宁肯定会在这条道路上继续往前走——进攻、防守、一传，她会在各方面继续锻造自己。

2018 年，张常宁还收获了爱情。8 月 31 日，网友爆出她被江苏男篮队员吴冠希求婚并欣然接受的照片。吴冠希的父母都是排球运动员出身，而张常宁自己的父亲和哥哥也都是中国男排的主力队员，订婚后的"排球世家"又添新体育成员了。

别的孩子玩滑梯的时候，我就玩排球了

Q：从小是怎么和排球结缘的呢？

张常宁：我的业余时间都是在排球场度过的，别的孩子可能在玩滑梯的时候，我都是在玩排球。可以说，排球场就是我的游乐场。我小时候个子高，手大脚大，确实异于常人。爸爸和哥哥都打排球，也从小培养了我对排球的兴趣。

Q：为什么要从沙排转向室内呢？

张常宁：还是因为好胜心强吧，一旦做什么事情就想做到最好。沙滩排球欧美强队太多了，想打到世界顶尖水平太困难，我想把排球打好，所以我转向室内排球。

Q：收到的印象最深的礼物是什么？

张常宁：我印象最深的是大奖赛的时候，收到了一个球迷亲手做的爆炸相册，打开的那一瞬间特别惊喜，里面全是我的照片，还画了画。真的觉得小伙伴们都好有才。还给我妈看了。我们都特别喜欢，也很感谢那位小伙伴。

Q：里约奥运会印象最深的是什么？

张常宁：除了打巴西那场球时的手感，就是丽姐（徐云丽）做的一碗面，那是我们在战胜荷兰闯进决赛之后丽姐用电锅给我们煮的紫菜鸡蛋汤面，毫不夸张，真的是香飘十里，一口下去感动得想掉眼泪。

出生日期：1992年8月15日
星座：狮子座
家乡：天津市
身高：182cm
扣球高度：306cm
拦网高度：298cm
场上位置：二传
个人爱好：美食

姚迪

我从不害怕6年的等待

2018 世锦赛

　　首场对阵古巴队，姚迪在第1局局末两点换三点时替补登场，第3局更是获得完整的一局主打机会。比赛中，姚迪多点开花、善于调动副攻的特点继续保持，特别是和袁心玥的配合多样，帮助队伍顺利拿下首场胜利。然而，突然间，这份好状态中断了，小组赛对阵保加利亚队，因为丁霞脚伤，姚迪临时被推上首发位置，却因为发挥不佳，和攻手配合失误，导致队伍输掉第1局比赛。

　　姚迪的心情也跌到了谷底。

　　网络上一片骂声，但比赛还在继续。姚迪不能让自己的心态炸裂，她必须微笑着坚强下去。六强赛对阵美国队的第4局打到关键时刻，局面胶着，相持不下，此时此刻的比分已不仅仅关乎这一局的胜利，更决定着整场比赛的走势。郎平果断地再次启用姚迪，以绝对信任支持她打破桎梏。"那时候我都佩服郎导敢把我换上去。"赛后，姚迪坦言。但赛场上的姚迪并没有分心，她全部的注意力都在于转动的排球上，在于如何把关键球打好；异常专注的神情展现在她的脸上，这个爱笑的女孩子藏起笑容背后的辛酸，全力以赴为全队谋求转机——这一次，她没有让郎平失望：第4局顺利拿下，中国女排成功找回自己的状态，最终3：2战胜了美国女排。

"自古英雄出少年"，姚迪的球场高光，亦是从少年开始。9 岁接触排球，16 岁入选国少队，17 岁以队长、主力二传的身份率领国少队出战世少赛，19 岁荣获亚俱杯"最佳二传"。比赛场上形势瞬息万变，担任二传的姚迪常常是整支队伍的灵魂和核心：她了解每一名队员的特点，默契配合；她通晓每一个对手的思路，灵活应变。世青赛、亚俱杯，接连高光，"最佳二传"的奖项似乎已成为年轻的姚迪的专属品。

　　其中，2013 年作为队长参加首届 U23 世锦赛，21 岁的姚迪便能筹谋调配、挥斥方遒，率领中国队 7 战全胜斩获桂冠。500+ 次的传球却只有 4 次失误，姚迪不仅再次拿下"最佳二传"，还荣膺 MVP（最有价值球员）。

　　国少队、国青队、国奥队、国家队，姚迪一步一个脚印，顺风顺水，走向中国女排最高的殿堂。但到了高手云集的国家队，忽然间她就不那么顺了：作为球迷口中"传奇教练郎平最期待的二传"，姚迪年年入选国家队集训名单，年年作为重点培养对象，但年年没能敲开世界三大赛的大门。七进七出，对于一名运动员来说是锻炼，也是折磨。

　　但姚迪不服输。

　　技术不足，便继续磨炼；心态不稳，便反复锻炼。为了年少时便拥有的梦想，姚迪心中的热血，一直沸腾。"我不想做国家队的过客。"姚迪说。而当一个女孩子把满腔热血化作动力与干劲的时候，她已悄然蜕变了。

　　姚迪爱笑。爱笑的女孩儿运气一定不会太差，但姚迪有的不仅是运气，还有着相当的实力。心向阳，花自开，为国家队奋战 6 年，姚迪终于代表国家队打上了个人的第 1 个世界三大赛。

　　经历世界大赛的洗礼，姚迪的心已经不再像之前那样乱，她仍然把未来的重心放在磨炼技术上面，"希望随着技术的进步，在球场上更加自如"。

白天练球，晚上就在宿舍哭

Q：第一次参加世锦赛，对自己来说最大的收获是什么？

姚迪：主要是经历和成长。第一次经历和感受（世界）三大赛的氛围，每个队伍都调整出了最好的状态，拿出最高的水平，对于我们来说每一场都是关键球，都考验着队伍的技术和心理，是很刺激的一次成长经历。

Q：等了 6 年，终于参加（世界）三大赛，参赛前心情如何？

姚迪：本来觉得自己年纪还行，忽然就觉得老了。反复跟自己说得加倍努力了，要力争在国家队站稳脚跟，不想再进进出出当过客。压力和紧张是在所难免的，但是还是劝自己，这个比赛很重要但是自己的心态更重要，保持好的心态才能有更好的发挥。

Q：第一次参加排球专业训练是什么时候？有什么感触？

姚迪：小学毕业在天津二队。刚刚开始训练时，有一堂课是在跑步机上以最快速度跑 1 分钟，谁知道机器一开，就摔倒了，腿也被磨破了一大片。那个时候真的太累了，白天练完，晚上就在宿舍哭，整个人都要疯了，不想练了。但是最后还是坚持下来。

Q：最开始就是打二传位置的吗？

姚迪：最开始是打主攻，但是第一次接触二传训练便爱上了这个位置。虽然第一次传球还挫伤了手指，挺戏剧性的。但是仍然爱上这种触球的感觉。

Q：从去年大奖赛有争议到今年排超高居传球榜第 1，获得参加世锦赛的资格，发生了什么？

姚迪：接受争议，保持心态，放低自己，磨炼技术，谦虚求教，和队友多做配合。比赛的时候不去想结果，打一场拼一场，争取每一场都能发挥自己的水平。

Q：紧张的训练之余，一般会通过什么方式来放松自己呢？

姚迪：在国家队的时候，一般到了周末，队友会一起出去看电影、做按摩。如果是在天津的话，还可以和很久没见的老朋友约出来聊聊天、逛街、唱歌。都是比较能够放松自己的方式。

Q：现在除了比赛和训练之外，有什么愿望或者计划吗？

姚迪：其实最想的是能有个假期到一个安静的城市放空几天，不过一直没时间去实现。对于现在的我而言训练还是主要的，我还需要磨炼技术，争取更好地提高自己的水平。

丁霞

"小蚂蚁"扛起超过自己体重 400 倍的物体

出生日期：1990年1月13日
星座：摩羯座
家乡：辽宁省
身高：180cm
扣球高度：302cm
拦网高度：292cm
场上位置：二传
爱好：美食、旅行、电子竞技

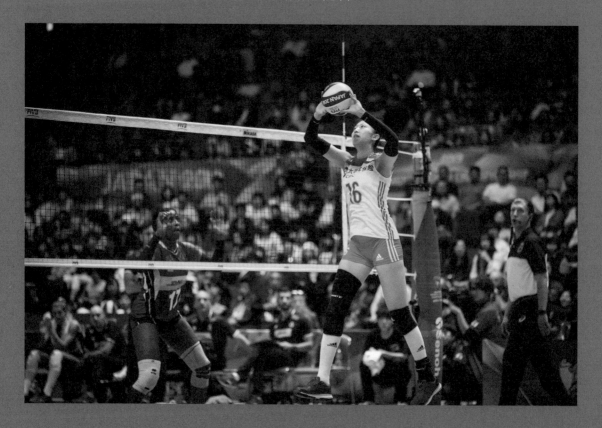

 2018 世锦赛

赛后统计数据显示，丁霞在最佳二传榜名列第 2，每局 3.72 次，仅次于意大利队的奥菲丽娅·马利诺夫的 4.00 次。

　　没有什么力量能阻挡粉丝们给自己的偶像取外号或昵称，何况还是经常被赋予民族精神代言人身份的中国女排？丁霞，便被喜爱她的网友们昵称为"小蚂蚁"，尽管站在普通人群中她那 1.80 米的身高总是如此的引人注目。网友们的意思是，蚂蚁虽小，却可以扛起超过自己体重 400 倍的物体。这么说，还是网友们更专业，"小蚂蚁"恰如其分地描述了丁霞在国家队的作用及表现：小小的身躯爆发出巨大的能量，带动整个中国女排奋勇前行。

二传，可谓是任何一支排球队伍都必须仰仗的大脑，虽然从来没有主攻或副攻那么显眼，但又得时时刻刻为他们提供弹药。因此，二传是天生的自带巨大压力：胜负集于一身，荣辱集于一身。多年的运动生涯中，自我肯定与自我怀疑，外界的欢呼和质疑，正与反的撕扯，似乎从来没有停止过，丁霞也尝遍了跌宕起伏的人生百味。

世锦赛前的训练，郎平带二传，"有的时候跟郎导练传球会有一点紧张，甚至比打对抗还紧张"。遇到球传得不好，郎平会说，"哎哟这球……"丁霞会用勉强的笑来掩饰自己的尴尬。"假如说今天传不好球，我心思会稍微重一些，会想得多一些。这个球怎么回去？我应该怎么做？反复想。"

想得多，这是丁霞场上角色的要求。

二传承担着整个球队攻防转换的重任，外界对该位置球员的发挥自然尤为关注，对于二传的状态起伏和队伍配合的实现度，要求也向来苛刻。6月份的世界联赛，丁霞状态并不好。比赛中，郎平就曾在场边不停大喊她的名字，也曾在比赛指导中直接对丁霞下命令："该拿下的球一定要拿下来！"甚至赛后，郎平还不点名地批评过她："二传的传球还是有差距，并且差距不小。"——这话，还能是批评别人吗？

有评论直言不讳地指出："丁霞发球轮没有了从前的威力，传球不到位，拦网被借手，只有防守还算令人满意……毕竟她已经不再年轻，很难做到在一场比赛中一直保持不错的手感。体力下滑后，她的传球思路也受到了一定的阻碍……"

此时，离世锦赛也就 3 个月的时间了，坚强的"小蚂蚁"一度迷茫，甚至怀疑自己是体力不行了还是技术退化了。为此，她哭了好多回。这两年的连续征战，从地方队到国家队，从全国比赛到洲际比赛再到世界三大赛的比赛，钢铁战士一般的丁霞要面对疲劳、伤病、新的队友、新的磨合，当然还有年龄问题，她要面对的挑战不是一个两个，而是 N 个。

她也找教练组、找队友、找已经退役的队友倾诉交流，寻找内心困惑的答案：

"我是不是年龄大了，不行了？"

"我是不是就不适合再打了？"

……

教练组和队友们鼓励她：

"状态起起伏伏很正常。"

"你只要坚持，就会重新找回状态。"

……

是的，唯有坚持。

　　丁霞开始反思："总是冲也不对，会带乱整个队伍的节奏。要顾全大局，什么时候要稳，什么时候要冲，这个要掌握得更好一些。"沉淀下来的"小蚂蚁"找到了最佳平衡点。转换的过程使得丁霞经历了质的蜕变，灵活是她的资本，勤恳是她的底气，"后来慢慢知道，蚂蚁虽小，还是挺有力量的"。

对自己说"我能行"，5 秒钟内保证能行

Q：最喜欢哪位女排运动员？

丁霞：必须郎导呀。

Q：恭喜你啊，这次世锦赛世界最佳二传榜你名列第 2，有什么心得吗？

丁霞：在场上观察能力要够。这是做好二传的关键之一，比如今天谁状态好，年轻队员的心情怎么样，我们今天的配合有哪些，对方哪个位置拦网比较弱，我们要用什么战术去突破，要能敏锐地观察每个人的情况，再做出相应的选择。还有就是要对大家有一些鼓励，在一些困难球的时候，尽可能帮助到队伍。

Q：作为老队员，打比赛的时候还会紧张吗？

丁霞：紧张。打到关键球和关键场次的时候还是会有点紧张，而且假如说今天传不好球，我心思会稍微重一些，会想得多一些。这个球怎么回去？我应该怎么做？反复想。这个时候中午睡的时间就比较短，像有心事那种。但是比赛一旦开始就不会多想了，会全力投入到比赛中。

Q：看你在世锦赛时经常和年轻队员沟通，是不是也在帮她们分担比赛的压力？

丁霞：也是发挥自己老队员的作用吧，告诉她们要积极运用心理暗示，给自己灌输这个念头——"我能行"，5 秒钟内，都管用。真的，我用过很多次。

Q：自己状态遇到低谷、找不到感觉的时刻怎么办？

丁霞：状态起起伏伏很正常，只要坚持，就会重新找回状态。

Q：平时私底下会通过什么方式减压，放松自己？

丁霞：有时候打打游戏，或看电视剧，或听歌。

Q：生活中会化妆吗？喜欢什么化妆品？

丁霞：用用面膜吧，最近也在学习画眼线。

Q：最喜欢吃什么？

丁霞：烤肉。

出生日期：1996年12月21日
星座：射手座
家乡：重庆市
身高：201cm
扣球高度：327cm
拦网高度：318cm
场上位置：副攻
个人爱好：日本漫画、美食

袁心玥

我喜欢的很多，但现在只剩排球了

2018 世锦赛

  13 场比赛中，袁心玥共斩获 155 分，成为中国队仅次于朱婷的得分手；而在单项技术排行榜上，她还以 155 分名列得分榜第 8。其中拦网贡献 30 分，局均 0.64 分，位居第 4；发球得到 18 分，局均 0.38 分，排名第 3。

  身高 2.01 米的袁心玥是中国女排现役成员中的第一高度，但因为她圆圆的小脸蛋，所以还有一个可爱的昵称——小苹果。

  不过，2018 年底才满 22 周岁的"小苹果"已经是这届中国女排队伍中名副其实的"小将老兵"，因为她已经

两次征战世锦赛，代表国家打遍了世界杯和奥运会。

4年前，袁心玥还是一个因为老队员受伤而临危受命获得上场机会、想着能"拼一把"的小队员；经过4年的历练，她已经成长为能够享受每一场比赛、每一个球的主力队员。

都知道袁心玥在赛场上的强硬拦网和扣杀往往令对手措手不及，但其实她还有另外一个必杀技——海豚音。每一次的精准得分之后，能量巨大的"小苹果"总会高声地尖叫，自己庆祝的同时，还给对手带来巨大的威慑力。这既是她内心的发泄，也是鼓舞。

一旦走下赛场，袁心玥就不再是球场上那个杀气腾腾的运动员，而变成了笑呵呵的萌妹子。她和很多女孩一样，爱猫，养猫。不过，由于相对特殊的工作，她平时只能一直处在"云养猫"的状态中——每天，妈妈都会把家里两只小猫的照片发给她，让她过过眼瘾。

身材修长的她甚至还被中国女排的体能教练雷特·拉尔森认为是全队最时尚的队员。对此，袁心玥表示自己根本就不知道，但说到时尚，自己偶尔还是会画一点淡妆的，要刻意关注美妆时尚却不太可能，有时候看看明星穿搭罢了。"主要还是买适合自己风格的衣服。"她说。

"学网购，找小袁啊！"不管你信不信，反正郎导信了

Q：听说你在队里的昵称从"小苹果"变成"老果子"了？

袁心玥：不，我现在不是"老果子"了，现在我微信名叫"开心的苹果干"。问我为什么叫"苹果干"？因为"苹果干"瘦啊！

Q：2018 世锦赛结束后的假期做了什么有意思的事吗？

袁心玥：出去转换了一下心情。我去了重庆附近的一个森林公园，端着相机去拍了拍照片，呼吸了一下新鲜空气。

Q：你这么高，平时在外面会被人认出来吗？

袁心玥：其实还好吧，大部分人都会说，这人好高啊！不会是女排的吧？

Q：你的父母也是专业运动员出身，你的天赋也是遗传了父母优秀的基因吧？

袁心玥：父母给我这么好的身体条件，但力量、经验和技术还是得靠教练和自己。其实我小时候喜欢的东西很广泛，但是找不到一个特别想要去使劲琢磨的东西，后来打了排球，既然走了这条路，怎么也得把它走好。

Q：没有比赛和训练的时候喜欢做什么呢？

袁心玥：会利用业余时间上英语课，偶尔玩玩游戏。

Q：现在队里学习英语的氛围很浓啊？

袁心玥：是啊，在国际比赛中能用英语表达确实很重要。

Q：你应该很有语言天赋吧，讲普通话一点南方口音都没有，回家还是讲重庆话吗？

袁心玥：当然，只有一次我回家打出租车，司机问我"你是外地人吗？"我就纳闷，是我（重庆话）说得不够标准还是因为我的身高啊？

Q：你是"购物狂"吗？

袁心玥：算是吧，之前郎导还开玩笑说"学网购，找小袁啊！"

Q："双 11"都买了些什么？

袁心玥：我给我们家猫买了好多东西。

出生日期：1987年3月2日
星座：双鱼座
家乡：辽宁省
身高：192cm
扣球高度：317cm
拦网高度：306cm
场上位置：副攻
个人爱好：旅行、听音乐

颜妮

我是妮妮，我是颜掌柜，我是北长城，我是胶布大户

2018 世锦赛

　　13 场比赛场场首发，颜妮以拦网得分 42 分，局均 0.89 分的数据高居最佳拦网榜第 1 名，被评为本届世锦赛最佳副攻。

　　"17 号，颜妮！"当世锦赛颁奖礼的现场主持人报出"最佳副攻"获得者的名字时，颜妮愣了一下，有些不敢相信是自己。旁边的丁霞兴奋地拍着她的肩膀，这时候，全场已经爆发出了雷鸣般的掌声，人们重复喊着"颜妮！颜妮！颜妮！"

这是颜妮人生第 1 次参加世锦赛，同时也是她人生第 1 次入选世界三大赛的最佳阵容，如此的不可思议——队友中，最年轻的是李盈莹，出生于 2000 年 2 月 19 日，俗称 00 后。也因此，这份荣誉更可以当作对 80 后颜妮的坚守与付出的莫大肯定。

"第 1 次参加世锦赛，过程真的比想象中艰难很多，整个比赛过程其实很有收获，磨炼了我的意志和韧劲，让自己更加坚强。"颜妮说。

不难想象，每当外界说起颜妮，总会用到这个词：大器晚成。

31 岁的颜妮和最年轻的李盈莹相反，是这届中国女排队员中年纪最长的，但又和许多小队员一样是第 1 次参加世锦赛，这中间又有着许多曲折的故事。2009 年，颜妮首次入选国家队，当时蔡斌任主教练，主要是备战东亚运动会。此后的几年里，她在国家队几进几出，但一直等到 2015 年亚锦赛才获得机会代表中国女排出战国际性比赛。对于中国女排的大多数姑娘来说，亚洲赛事算不了什么，但阴错阳差，却是颜妮当时能参加的最高级别赛事。接下来，她可是一步登天了：2016 里约奥运会，颜妮作为主力副攻，帮助中国女排时隔 12 年重夺奥运会金牌。

"感谢郎导对我的信任！"赛后，颜妮激动地对着镜头说。

在排超联赛，来自福建队的徐云丽被大家称为"南长城"，来自辽宁队的颜妮则被称为"北长城"，两人均以出众的拦网著称。如今，徐云丽因伤病淡出了赛场，转为服务队伍，"北长城"颜妮却仍在坚守。这背后承受的疼痛和煎熬，只有她自己知道。

相信球迷都注意过颜妮身体上的胶布，因为她身体上的胶布实在是太多了，想不注意都难。尤其是 2018，这一年的比赛打下来，颜妮身体上需要贴胶布的部位，从肩膀开始，一路扩大到了腰腹、大腿，以至于她总笑着调侃自己是"胶布大户"。为了不耽误大部队的训练，她需要每天提前半小时起床、吃早饭，以便腾出贴胶布的"专用时间"。好不容易贴好胶布了，到训练结束撕的时候又是另外一层的痛苦，"是要连皮一块扯下来的感觉"。在球迷眼中，她内敛、踏实，笑起来甜甜的，就像一缕阳光般灿烂；而在竞技场上，她是真正的铁血女汉子，不，是铁血汉子！

再铁血的汉子也需要有人温柔指引，给予机会，这个人，在国家层面便是中国女排主教练郎平。现在不难理解，

为什么在里约热内卢她首先要感谢的是郎平。

2018 年的教师节，似乎与排球没什么关系，但颜妮却写下了一段话：

"教师节是个特别的日子，那些平时放在心里的感谢，可以在这时候说出来。郎导，我知道，压力和困难，甚至伤病这些都不能削弱您，对我们您只有一个要求，就是对胜利的渴望！我已经是一名'老兵'了，也不是什么'球星'，但是我一直一步一步跟着您的队伍长征，只要您需要我，我会继续堵好'枪眼'，请您相信妮儿的步伐永远是沉默的，但行动一定是坚决的。"

除了感谢，颜妮朴实无华的言语中还透露着满满的诚挚和铿锵的坚定——这个很安静的姑娘或许平常并不抢眼，但在需要她的时候，她一定能够让大家感受到她的存在。

她还会继续存在下去的。

也曾感叹"可能这辈子再也无缘国家队了"

Q：觉得自己世锦赛的表现怎么样？

颜妮：比之前我预想的满意，特别感谢这个集体给我的一些荣誉，感谢郎平指导和队友。

Q：很多球迷习惯叫你"颜掌柜"，队里都怎么称呼你呢？

颜妮：《武林外传》女主角佟掌柜的扮演者也叫闫妮，因为谐音，球迷爱称我为"颜掌柜"。但队里都叫我"妮妮"，我喜欢这个称呼。感觉"掌柜"这个词有种核心的意思，所以我不太习惯。

Q：从什么时候开始选择了排球？当时有什么目标吗？

颜妮：应该是在小学三年级的时候，我在同年龄同学中的个子已经很高了，甚至比五年级的学生还要高，在父母的建议下我加入了沈阳市体校。那时候的目标还比较简单，就是想早点儿进省队成为一名专业的运动员。

Q：有些孩子从事体育只是想作为一项特长，或者将来把它当成上大学的"敲门砖"。你有过这样的想法吗？

颜妮：我开始就想成为专业的运动员。可能是受父母的影响吧，当年，父亲曾是半专业的足球运动员呢，母亲则是单位里的篮球队员，我从小就挺喜欢体育运动的。

Q：2009年你就曾入选过蔡斌执教的国家队。可是，从那以后进进出出，很难打上主力。为此，你曾有"这辈子很难再进国家队"的感叹？

颜妮：的确，我曾感叹过"可能这辈子再也无缘国家队了"，但这不代表我就可以不努力、自暴自弃。回到辽宁队训练和比赛的日子里，我总是告诉自己要从各方面提高自己，要多承担责任。或许，正是我在辽宁队的表现受到郎指导的关注，最终获得了进入国家队的机会。比赛时，每次上场我都会告诉自己，一定要尽最大努力打好比赛，决不不辜负教练和队友的信任。

Q：你在国家队也算挺久了，觉得郎指导对你有什么影响吗？

颜妮：有，郎指导敬业、执着、全身心投入，富有人格魅力，满满的正能量。比如，她在训练时一丝不苟，对所有队员一视同仁，把每一位队员都当成自己的孩子或亲人。训练课后，我们在放松，她却还在看录像，研究对手。这些年，她把对这份事业的执着、对球队的热爱、对朋友的真诚潜移默化地传递给了我们。记得有一次，在北京刚训练完就要参加一个活动，我根本没有时间吃晚饭，这时郎指导走过来告诉我："拿两根香蕉在路上吃。"短短的一句话，现在回想起来心里依然暖暖的。

Q：如果选择退役的话，对退役以后的生活有什么样的打算？

颜妮：我想还是会从事与排球相关的工作吧。毕竟，从小到大一直都在打排球，对排球有着太深的感情。

Q：对于之后怎么计划的？会打到2020年吗？

颜妮：只要身体允许，就会的。

出生日期：1992年7月15日

星座：巨蟹座

家乡：福建省

身高：171cm

扣球高度：294cm

拦网高度：294cm

场上位置：自由人

个人爱好：看警匪片、TVB（香港无线电视台）电视剧

林莉
我就是给年轻队友送经验来的

2018 世锦赛

状态有些许起伏的林莉作为后盾，一直在鼓励更年轻的王梦洁，给她传授自己的经验："我在场下尽可能看得清楚些，力争暂停的时候给梦洁一些提醒。再有就是时刻准备着被换上场能尽快融入比赛。"

如果说朱婷是中国女排摧城拔寨的大杀器，那么，林莉就是中国女排的定海神针。

一传对于中国女排而言可是个伤脑筋的大难题。自从陈忠和带领的黄金一代的"不死鸟"张娜退役后，中国女排就一直苦苦找寻自由人，然而相当长的一段时间没有理想人选。在林莉出现后，这种被动的局面终于得到了很大

改善。

　　林莉出生于一个贫苦的家庭。她的父母长年在外打工赚钱，以供养女儿追寻自己最挚爱的排球梦。好在林莉非常懂事，她将自己的所有时间都用在钻研球技、增强基本功的艰苦训练里，最后从众多同行的排球追梦人中脱颖而出。

　　2015 年，林莉首次入选国家队大名单。这一年自由人位置上的竞争尤为激烈，共有 6 人入围，创造了国家队历史的新纪录。经过层层考察，林莉不声不响地从"海选"中杀出，最终成为国家队的一员。亚锦赛期间，作为新人的林莉再次把握住了机会，用惊艳的发挥回馈了郎平的信任和球迷的期待，以至很多人都不禁感慨，亚锦赛可是"天上掉下个林妹妹"！随后的大奖赛和世界杯，林莉更是稳扎稳打，一步一个脚印，用扎实的功底担起了防反系统的重任，成为球场上最令人放心的队员之一。

　　林莉防守意识出色，后排起球能力极强，一传感觉好，也会有精彩的舍身救球、精准的防守卡位。提及中国女排 2016 里约奥运会夺冠，很多人都归功于"朱袁张"组合，她们的进攻三叉戟无坚不摧。殊不知，林莉在后排的稳定表现也起到了重要作用——作为队内唯一的自由人，她一传稳定，防守给力。赛后，林莉因为表现出色而荣膺"最佳自由人"。

　　郎平对林莉从不吝赞美之词："林莉在一传方面比较有天赋，特别是很多球到位的质量非常高；另外身体素质也不错，反应和移动速度都比较快。"作为一名自由人，林莉已经无愧于世界顶级水准。

　　世锦赛结束之后，林莉很快就回到福建队参加训练，备战新赛季的排超联赛。"林莉现在状态非常好，是我们队伍里的核心。她是一名非常努力的运动员，我相信在东京奥运周期，林莉是中国女排自由人位置非常有竞争力的队员。"福建女排主教练胡进接受采访时说。中国女排已经拥有了世界第一主攻朱婷，大家都期待林莉更上一层楼，成长为世界第一自由人，2020 年再立新功。

天赋不敢说，劣势倒是说了好多

Q：有很多人说你的一传天赋过人，垫球动作像教科书，你怎么看？

林莉：有天赋真的不敢当，顶多就是我练得比较多而已。我承认自己有特点，比如一传比较好，心态比较放松，但我也有缺点，身高劣势是最大的短板，也希望能通过多打比赛增加我的场上经验，在以后的比赛中发挥更加稳定。

Q：听说你训练的时候练得比较狠，通常会给自己加练？

林莉：作为老队员必须得严格要求自己，比如在训练中让教练以双倍的量给自己喂球，这样练多了，天道酬勤，肯定会有收获。除此之外，不仅要加大训练量，还得规范自己的动作，这样效果才会更好。

Q：作为自由人，是不是有时候在场上会出现和其他队员"抢着"救球的时候？这时候你会怎么办？

林莉：马上和队员沟通一下。不过一般我会先出声，让队员知道我会去（救球）。

Q：世锦赛之后的假期，有去外面放松一下吗？

林莉：和闺蜜去成都玩了几天，逛街，吃小吃。主要是散散心，稍微轻松一下。

Q：能吃辣吗？

林莉：我是南方人，就过过瘾，比如吃火锅，只能稍微吃一点，多了不行。

Q：除了训练之外，日常一般会干什么放松一下？

林莉：看看电影和电视剧。比较喜欢警匪片、TVB 电视剧，尤其是枪战片，我觉得他们很酷。

Q：在（王）梦洁朋友圈看到你和她一起回了趟北体大（北京体育大学）？

林莉：是的，我现在是北体大研究生。因为很小就出来打排球，没体验过真正的校园生活，所以很向往校园生活，希望入学以后能有除了训练之外的收获。

Q：会和其他年轻队员交流经验吗？

林莉：会的。训练和比赛中都会积极沟通，多以鼓励为主，毕竟是年轻队员，刚上去大赛的赛场可能会紧张怯场、放不开。作为老队员就去鼓励她们放开打，鼓励她们，给她们讲我自己的一些赛场经验，告诉她不要怕，放开打，最重要的是不能怯场。

Q：如何评价自己 2018 赛季的表现？

林莉：整个 2018 赛季算是我这些年来比较低落的一年，很想为球队贡献一份力量，但是一直没有很好地把技术和心理状态调整过来。其实我自己也一直在找原因，但是并没有头绪，现在这一年国家队的任务结束了，希望利用这段时间翻过这一篇儿，2019 年能重新开始。

出生日期：1995年11月14日
星座：天蝎座
家乡：山东省
身高：173cm
扣球高度：300cm
拦网高度：290cm
场上位置：自由人
个人爱好：听音乐

王梦洁
你可要看仔细了，我的眼神里是否有伤感

2018 世锦赛

  由于之前确定的主力自由人林莉状态出现了波动，王梦洁承担了主力自由人重任。随着比赛的深入，她的状态越来越好，尤其是在对阵美国队的两场生死战中，王梦洁的一传和防守给球队的进攻奠定了良好的基础，也让二传与攻手之间的配合更加默契。整个世锦赛下来，王梦洁的表现可以用"蜕变"来形容。

  王梦洁是通过自由人海选进入国家队集训名单的。2015 年 1 月，中国女排开始进行自由人海选，6 名自由人入围集训，也是这个机会，使王梦洁得以首次入选中国女排大名单。但在参加集训后，王梦洁并未能出征亚锦赛，被调整出队参加 U23 亚锦赛并获得冠军。不过很快，她又被国家队召回，参加了同年的大奖赛总决赛，并最终入围了世界杯参赛大名单。

这次，她没让机会溜走。在世界杯对阵俄罗斯队的关键比赛中，此前登场机会不多的王梦洁在第3、4局替补登场，进入状态很快，上场就防守起球，帮助中国队拿下对手并几乎提前锁定了世界杯冠军。随后，中国女排又顺利拿下日本队，最终夺冠，不满20周岁的王梦洁得到了自己的第1个世界三大赛冠军。

2016年，王梦洁继续入选中国女排，备战里约奥运会。不过，尽管她再次表现出了上佳的竞技水准，但奥运会只有12个名额，竞争残酷，郎平最终只带了1名自由人出征，21岁的王梦洁在最后时刻告别了人生迄今最想去的舞台。在落选后，王梦洁仍继续随队集训，直到球队出发才离队。那段时间，在训练场上大家几乎看不到王梦洁与入选奥运会名单的12名队员有什么区别，还是那么的积极，那么的投入。有随队记者曾经说，只有仔细看她的眼神，才能体会到她内心深处的一丝伤感。

2016里约奥运会后，王梦洁积极备战中国排超联赛。在这块阵地上，因为特殊的赛制，王梦洁连续两年在母队山东女排遭淘汰后临时转会到其他队伍，两次都体现出了自己的价值。其中，2016—2017赛季是转会四川队，帮助她们获得追平球队历史最好成绩的第4名；2017—2018赛季则是转会北京队，帮助球队连续爆冷击败江苏女排等强队。

排超联赛的转会制度，最大好处是保证优秀球员能打更多更激烈的比赛，对王梦洁而言，则是给自己带来了质的改变：一传保障面积为攻手分担了很大压力，在5、6号位的地毯式防守也成为对方重炮手的噩梦。

一转眼便是2018年，世锦赛来了，王梦洁再次携手林莉出征大赛，而这一次，她从替补队员变成了首发。

机会总是留给有准备的人的，王梦洁就是这句话的忠实践行者。

每当比赛结束，赶紧回房间听听钢琴曲

Q：2015 年第 1 次参加世界大赛——世界杯就获得冠军，当时是什么感觉？

王梦洁：特别高兴，特别激动，像做梦一样！现在想起来有点后怕。在国家队今年对自己是一次很大的历练，从来没想过结果，就是一天一天地练。那次世界杯出场时间不多，但是在场下看也是很好的学习，谢谢郎导在关键时刻信任我！

Q：2018 年世锦赛作为主力自由人出战，最大的收获是什么？

王梦洁：这次世锦赛看到了很多优秀的自由人，像意大利队的德吉纳罗和巴西队的苏伦，自己也会经常看她们的比赛录像总结学习。和她们的预判性、防守面积相比，我还有所欠缺。

Q：世锦赛对你们的身体、心理都是一个考验，很煎熬吧？

王梦洁：是的，我当时听说这个赛制就觉得很难打，过程当中也是比较难熬的。

Q：本届世锦赛上哪些比赛令你印象最深？

王梦洁：第一阶段我有些不稳定，没有找到场上节奏。到了第二阶段，把美国队打败进前六那场比赛，自己的信心有了一些增长。

Q：世锦赛的 13 场比赛下来，你的表现十分优秀，自己怎么评价？

王梦洁：我对自己还是比较满意的吧，这是我第 1 次承担国家队主力任务，我觉得这是对我的努力的一个肯定。

Q：山东女排是一支特别年轻的队伍，你都已经算是队里的老队员了？

王梦洁：是的，我自己也很惊讶！队里的几个姐姐退役后，1994 年的成了队里最大的，我现在是队里第 2 大的了。

Q：训练时会怎样帮助队里的年轻小队员？

王梦洁：我希望能在心理、技术层面多提醒她们，帮助她们尽快成长。

Q：世锦赛过后有没有放松一下？

王梦洁：我回家陪了家人两天，带了牙套，还和林莉一起去北体大报到了。我们现在都是北体大的研究生了，还申请了一个宿舍。

Q：平时有什么爱好吗？

王梦洁：我喜欢听音乐，音响不离手。洗澡的时候，刚起床的时候，我都会连上音响，放一点音乐。比完赛，我会在房间里放一些钢琴曲，通过舒缓的音乐平复一下心情，想一下比赛中有哪些地方做得好和不好；比赛前就会听一些比较嗨的音乐调动一下自己。

Q：对于未来的路怎么看？

王梦洁：还是踏实做好每一天吧，兢兢业业的。

出生日期：1990年2月16日

星座：水瓶座

家乡：吉林省

身高：187cm

扣球高度：315cm

拦网高度：315cm

场上位置：主攻

个人爱好：看剧、看电影

刘晓彤

没错儿，我就是冠军专业户

2018 世锦赛

　　小组赛对阵意大利队，刘晓彤在第 4 局首发登场。尽管中国队最终以 1：3 失利，但比赛中刘晓彤用极具威胁的跳发球屡屡建功，同时还承担起了球队比较多的一传和防守任务。

　　少年离家，十年磨剑，2013 年，刘晓彤终于入选国家队。从奥运奇兵到队伍主力，被称为"京都球侠"的刘晓彤已逐渐成为国家队的核心主力之一。从一个状态起起伏伏的小女孩到现在担当起球队重任的主攻手，伴随着刘晓彤的成长，"担当"与"拼搏"是不灭的主题。

　　1990 年出生的刘晓彤，13 岁便孤身一人从延边朝鲜族自治州离家来到北京市，开始正式接受排球的专业训练。回报很快就来了，当在排超联赛打出一片名堂后，被称为"铁锤"的她入选国家队的呼声一直很高，2009 年和 2011 年，便曾两次参加国家队试训，但因为状态仍有起伏，最终没能留下。

　　她不气馁，继续磨砺，很快便拥有了火力十足的强攻，也能熟练地接起一传。随着技术水平的日益增高，刘晓彤也在不断地积攒着腾飞的筹码。天道酬勤，日复一日的拼搏与付出，终于帮助她在国家队站稳了脚跟。不仅如此，刘晓彤甚至早早将不少赛事的冠军收入囊中，其中包括大冠军杯、奥运会项目、世界杯等多个高水平赛事，被球迷赋予"冠军专业户"的头衔，一点都不为过。

令人记忆深刻的是 2014 年女排大奖赛总决赛，朱婷与惠若琪两大首发主攻休战，在主力缺席的情况下，刘晓彤迸发出昂扬的斗志，以极佳状态勇挑重担，成为这项赛事的"最佳扣球"，并收获了"最佳主攻"的殊荣。

越是艰苦的比赛，刘晓彤便拼得越是凶猛。

越是两队胶着不下，比分紧咬，所有人心悬半空，刘晓彤越是沉稳发挥，勇敢担当。

2016 里约奥运会，刘晓彤终于站在了令无数人艳羡的至高领奖台上。比赛中，她发挥劲大力猛的优势，成为中国女排出色的奇兵。特别是 1/4 决赛中对阵巴西队，当中国女排被逼至悬崖边的时候，刘晓彤替补上场，担当起反击的重任并屡屡高光，贡献了不少精彩瞬间。央视解说员在直播时激动地表示："刘晓彤在一传和进攻两个环节的表现都可圈可点。"最终，中国女排以 3：2 的总比分实现了逆转，顺利挺进四强。

里约奥运会之后，刘晓彤更是成了中国女排的全勤战士，几乎出席了中国女排所有的比赛，世界联赛、亚运会排球项目、瑞士精英赛。在辗转于各大国际赛场的同时，刘晓彤还在排超联赛元年转会天津女排并帮助这支队伍勇夺桂冠。在朱婷回归之前，她还担当起了中国女排的队长职责，是名副其实的"劳模"。

郎平曾说："被人需要是一种幸福。"2018 年女排世锦赛，刘晓彤仍然是不可或缺的一员。4 年前的世锦赛，刘晓彤曾与惠若琪、朱婷等队友斩获银牌，4 年后重回世锦赛赛场，虽然队伍已经发生翻天覆地的变化，当时的队长惠若琪已然退役，队友也更换许多，但刘晓彤依旧在奋战。

而在赛场外，刘晓彤作为队里年龄稍长、经验丰富的老队员，谦逊温和，帮助队友分担很多生活与心理上的压力，时常与年轻队员交流，帮助大家更好地适应比赛氛围，保持状态。

赛场上拼杀凶猛，赛场外待人温和，这样的刘晓彤，获得了无数球迷的称赞与喜爱。上一个奥运周期，刘晓彤用自己的拼搏收获了满满的成绩。新的 4 年周期早就开始了，她也早就做好了迎接新挑战的准备。

所谓运气，主要是经验和经历附带来的

Q：时隔 4 年再次参加世锦赛，有什么感触？

刘晓彤：自己的角色不一样了，4 年之后场上的人员变动还是挺大的，新的阵容跟 4 年前有更多的改变，也有更多实力的不同。

Q：训练之余，喜欢做些什么？

刘晓彤：比赛和训练比较忙，休闲时间比较少。如果能偶尔放松的话，喜欢看一些休闲搞笑的节目，放松一下一直紧张的心情。

Q：觉得平常生活中自己是什么样子的？

刘晓彤：我觉得我属于比较有亲和力的，性格比较好，平常愿意和别人接触，也比较随和。球迷看我不是很有距离感的那种。

Q：大家都说你是"福将""冠军专业户"，你怎么看？

刘晓彤：这些年也经历了很多比赛，做出了很多努力。能够取得成绩，我觉得主要还是靠经验和经历，运气可能也稍微好一些。

Q：未来有什么规划？

刘晓彤：个人还是想争取更多的机会去不断地学习，不断地提升自身的能力，希望能够为自己和队伍再添荣誉。

| 出生日期：1997年4月21日 |
| 星座：金牛座 |
| 家乡：江苏省 |
| 身高：188cm |
| 扣球高度：315cm |
| 拦网高度：310cm |
| 场上位置：接应 |
| 个人爱好：美食、追剧 |

龚翔宇
是的，我一路走来挺不可思议的

2018 世锦赛

　　龚翔宇在 13 场比赛中共得到 137 分，在中国队排第 3，在全部参赛球员中排第 9；扣球和拦网这两项的单项得分均排在全部参赛球员的前 10 位。

　　龚翔宇出生在江苏省连云港市的一个体育世家，父亲曾是江苏男篮的队员，母亲则拿过全运会女子重剑的团体冠军。

　　读二年级的时候，龚翔宇第一次接触排球，对它"一见钟情"，并且一发而不可收。2013 年参加世少赛（U18）

并获得冠军；同年的全运会青年组比赛，江苏女排获得铜牌，龚翔宇再次站上了领奖台。然而那时，人们还想不到这个小姑娘会在 3 年后的里约热内卢成为奥运冠军。

2013 年的全运会过后，由于身高、弹跳和力量的增加，原本打二传的龚翔宇被调整到接应位置；2014 年入选了由徐建德挂帅的国青队，司职主力接应，同年获得亚青赛冠军。2015 年，龚翔宇作为国青队中唯一入选国奥队（U23）的队员，参加亚洲女排锦标赛并获冠军。2016 年 1 月 19 日——这是值得龚翔宇铭记的一个大日子，在新一届的中国女排 26 人大名单中，19 岁的她榜上有名。

这是龚翔宇首次入选国家队。尽管只是国家队大名单，并不代表能征战世界大赛。

这 4 年，龚翔宇每一年都有质的飞跃，而 2016 年更是以火箭速度往上蹿，甚至能听到噌噌噌的大响动。5 月份的瑞士精英赛，龚翔宇与魏秋月、惠若琪等处于恢复期的老队员一道出征，比赛中她的表现尤为突出，5 场比赛有 4 场是全队的得分王，最终荣膺这项赛事的"最佳接应"。凭借瑞士精英赛的出色进攻与防守，龚翔宇在奥运选拔的最后时刻弯道超车，进入了里约奥运会的 12 人名单。

但是，到了里约，挑战才真正开始。小组赛首战荷兰队，中国女排遭遇当头一棒，以 2：3 落败。龚翔宇虽是队伍中仅次于朱婷的得分手，但没能帮助队伍赢得开门红，这影响了她后面的表现。接下来的几场比赛，龚翔宇表现一般，在 1/4 决赛对阵巴西队时，甚至成为全队 12 人中唯一没有上场的球员。为此，龚翔宇一度背上了巨大的心理包袱，甚至认为郎导带她去里约是个错误。而再次证明自己实力的，依然是对阵荷兰队的比赛，这次，是更重要的半决赛，龚翔宇凭借出色的发挥帮助中国女排 3：1 力克对手挺进决赛。赛后，如释重负的她在郎平的怀里哭成了泪人儿，这一幕，成为里约奥运会的经典。

进入国家队的第一年就站上奥运会的最高领奖台，龚翔宇的起点可以说是很高了。然而起点高也意味着压力大，奥运会后，龚翔宇在国内联赛、亚洲杯等一系列比赛中展现了她的进攻风采，国家队继而对她提出了更高的要求。

从 2017 年开始，龚翔宇有了一项新的任务：加强保障能力。

显然，郎平希望将龚翔宇培养成技术全面的攻手。转型期的龚翔宇也曾感到各种不适应，但她凭借超高的悟性、

勤奋与努力，进步飞速，保障能力不断提高。2018 年来了，先是亚运会赛场，在曾春蕾出现伤病的情况下，龚翔宇成为中国队接应位置的顶梁柱，8 场比赛下来，她不仅进攻犀利，而且一传到位率高达 80％。转型初见成果。

然后，世锦赛来了。龚翔宇再一次全面爆发，在球场上既能够在后排保障球队，也能够在前排给予对手致命一击，同时小球处理也十分聪明，在第 1 次自己主打的世锦赛中交出了一份令人满意的答卷，下一位世界级接应已初具雏形了。🏐

球场上还有哪个位置没有打过？

Q：2016年第1次入选国家队大名单，正好是奥运年，当时是什么感觉？

龚翔宇：刚开始我们从北京集训，到漳州，到北仑，每一站集训我都觉得自己要被刷掉了，每一站结束，行李我都打包寄回南京宿舍。

Q：奥运冠军对你意味着什么？

龚翔宇：奥运会已经是过去时了，那时候自己更年轻，但是现在自己也还没有达到非常厉害的程度，所以自己还是要靠每一个球去拼，用情绪带动技术。自己还是一个年轻的队员，自己在场上还是要做很多的事情。

Q：小时候你打过二传，后来改打接应，刚去国家队的时候大家觉得你是强力接应，后来又要接一传，你喜欢这种不断挑战、不断改变吗？

龚翔宇：可能这样说起来是有点折腾，感觉一路走过来挺不可思议的。但其实每天都在摸球，位置的变化，像小时候从二传改接应，也没有排斥。希望自己在排球这个项目上可以多尝试一下。唯一不好是小时候同龄人打基础、练进攻的时候，我可能没及时跟上，所以现在有时候会觉得自己不够用了，在手法和扣球时对球的控制上可能没有像其他人那么娴熟。所以，还是要在扣球的手法和各个方面多下点功夫。

Q：世锦赛上出现了多位世界级接应，像博斯科维奇、艾格努等，会把自己和她们比较吗？

龚翔宇：和这些优秀的接应相比，自己的身体素质和体能可能不占优势，希望在技术上多弥补。我可能无法像她们一样一下把球扣到地板上，但是在处理球的手法方面可以多磨一磨。

Q：除了世锦赛，今年还有哪些比赛令你印象深刻吗？

龚翔宇：亚运会吧。进（亚运）村第2天我和曾姐（曾春蕾）就出了肠胃问题，吐得胆汁都出来了，整个人虚得不行，连赖导（赖亚文）到我房间来都不知道。最后能夺冠也算是好事多磨吧。

Q：距离东京奥运会还有两年，有什么规划？

龚翔宇：接下来两年，肯定是要更多一些进步，自己还有很多方面不足。现在是每个环节都会一点，但都不是特别精，希望之后练出一点自己的特长、特点出来。

Q：中国女排体能教练雷特说你很能吃，是真的吗？有什么长不胖的秘诀吗？

龚翔宇：我确定挺能吃的，从小就吃很多。长不胖的原因一个是我每天训练消耗比较大吧，再一个就是我很少吃油炸的东西。

Q：休息的时候喜欢做什么？

龚翔宇：看看电视剧吧，我比较喜欢看宫斗剧，前段时间刚刚看完《延禧攻略》，现在看《如懿传》。

出生日期：	1989年11月3日
星座：	天蝎座
家乡：	北京市
身高：	187cm
扣球高度：	315cm
拦网高度：	315cm
场上位置：	接应
个人爱好：	户外运动、橄榄球、读书、艺术

曾春蕾

为自己喜欢的事全力以赴，是幸福

2018 世锦赛

在六强赛对阵荷兰队的比赛中，曾春蕾虽然上场时间不是特别长，但对于带动全队攻防轮换和调节场上节奏都起到了关键性作用。

自入选国家队至今，曾春蕾从一个不谙世事的小女孩成长为一朵善解人意的"大花蕾"，无论面对多大的困难和失望，脸上永远带着灿烂的笑容，是中国女排不可或缺的"曾姐"。

2018 年，曾春蕾先后经历了留洋、回归、亚运会、世锦赛，有高光时刻，也有因伤病导致的状态起伏。由于伤病影响，曾春蕾在世锦赛中上场时间并不多，但无论哪场比赛，作为替补球员，她都在场边持续热身。"现在年纪大了，稍微不动，凉得比较快，怕临时被叫上去活动不开，所以在底下的时候一直在动，不敢放松。"29 岁的曾春蕾说。"我们队伍的那种一口气，大家一直咬到最后。"

这样的劲头，一直是女排精神的烙印。

郎平说过："女排老将价值千金，她的阅读能力，控制球的能力，包括处理球的能力都是宝贵的经验。"曾春蕾所经历的，让她对排球多了一些理解和感悟，这正是郎平需要她传承的。

对此，曾春蕾曾经动情地说道："年轻队员有年轻队员需要展示的方式，我作为老队员，也有我存在的价值。我也年轻过，也锋芒毕露过，但我觉得现在更多的是——不是说我老队员在队里就没有那种竞争的概念，但是我更多的目光还是要放在最后我们共同完成任务的这一点上——希望我不行的时候，年轻队员能顶上来，能完成这个位置上的任务，或者年轻队员遇到困难时，我能有一些经验给予她，最后大家能够梦想成真。"

在世锦赛前的北仑集训时，开始的时候，相当长一段时间曾春蕾没有跟队伍合练，而是单独恢复。当时，体能与身体状况对于曾春蕾来说是一个挑战；"大花蕾"在技术运用上已经有了一些心得，但是有些时候会因为伤病的反复出现，或者说体能不支，会有一些力不从心的地方，因此，体能才是她备战的重点之一。

曾春蕾曾在一篇日志中写道："我了解排球是我喜欢的事情，我清楚更好地掌握它是我的目标。于是我一直努力，努力地争取那十三亿分之十二的幸运与实力，追求着那全世界排球人心中的梦！在这个过程中我体会到，为自己喜欢的事情全力以赴，是种幸福。"

"大花蕾"一直享受排球带给她的幸福，怀揣最初的梦想，继续绽放。

去意大利保持竞技状态，还要学习

Q：现在身体状态怎么样？有没有恢复好？

曾春蕾：感觉自己一直在和伤病做斗争。老队员有些伤病也是正常的，希望通过训练的巩固有一些支撑。作为老队员，除了调整好自己的身体状态，就是多带带小队员，讲一些经验。就像我们第一次打世锦赛，冠亚军决赛前，月月姐（魏秋月）给我们讲了她以前的经历，对我很有帮助。

Q：作为一名老将，在很多同龄的队友选择退役、选择组建家庭的时候，是什么支撑你选择了回归赛场，一直走到现在？

曾春蕾：师姐冯坤对我说过："工作什么时候都会有，但是打球这件事情如果放下了，以后再想回赛场就回不来了。"很幸运的是我的身体状况还允许我继续打球，我觉得打球是件挺开心的事，也是从小一直干到大的事。在坚持的过程中磨炼的是自己的心智，这种东西是可以跟我一辈子的，不管以后我走到哪儿，面对什么样的困难，都有战胜困难的勇气和能力。

Q：之前去意大利留洋，现在回顾当时，留洋这件事带给你最大的感受是什么？

曾春蕾：我和朱婷所处的阶段不同，我当时出来打球是为了保持竞技状态，同时积累不同的体验和经历，了解国外联赛，比如她们训练和比赛的方式和风格，自我管理的生活模式。对那些一直很好奇的问题，我也很想通过经历找到答案。当有一天告别运动员身份时用别的方式去延续对排球的爱，这些都是我可以参考、借鉴的经验。

Q：总算迎来了一个难得的假期，有没有做什么事情放松调整下自己？

曾春蕾：忙了很多自己的事情，包括处理了一些之前积压的事情，还没有时间去哪里玩。我也很期待能有这样的时间。

Q：平时不训练的时候都做些什么呀？

曾春蕾：看看电影，来得及就回趟家多陪陪父母。更多的时候喜欢和朋友们在一起，和小姐妹们在一起。

Q：总结一下自己的2018。

曾春蕾：翻了下这一年里的照片，想不出有什么特别遗憾特别后悔的事，这就算没白活！甭管老的少的、男的女的、稀罕或不稀罕我的，我真真儿的感谢你们，点滴都是成长。爸妈依然硬朗，朋友越处越有味道，打球的日子一天比一天开心，告别了一些人但跟随永久的是当下拥有时的心情……知足！

出生日期：1999年10月12日
星座：天秤座
家乡：山东省
身高：197cm
扣球高度：327cm
拦网高度：318cm
场上位置：副攻
个人爱好：游泳

杨涵玉

我是专业练游泳的，练着练着就练成排球了

2018 世锦赛

　　六强赛的收官战，中国女排对阵荷兰女排，在胜局基本确定的情况下，杨涵玉第 3 局替补上场。至此，中国女排 14 名队员全部亮相，这位 19 岁的世青赛 MVP（最有价值球员）终于完成了自己的世锦赛首秀。

　　杨涵玉成名于 2017 年在墨西哥举办的世青赛（U20）。决赛中，中国女排 3：0 横扫俄罗斯队，最终登上了最高领奖台。担任副攻的杨涵玉入选赛事的最佳阵容，并荣膺 MVP。凭借那次的惊艳表现，杨涵玉入围了当年的央视体坛风云人物"年度最佳新人"提名。

　　当时的杨涵玉尽管只有 18 岁，却在球场上展现出了极强的小球天赋。当然，在这个年纪不得不提的是她的身体条件也很出众。

　　获得世青赛 MVP 后，杨涵玉参加了 2017-2018 赛季的中国排超联赛。虽然她所在的山东女排未能进入八强，但山东队被淘汰后，杨涵玉被租借到北京队并崭露头角。在代表北京队打的 8 场比赛中，杨涵玉的表现堪称惊艳，无论是攻拦的犀利，还是防守串联的细腻，都给圈内外人士留下了深刻的印象。

　　联赛过后，杨涵玉进入了中国女排集训名单。遗憾的是，因为在训练中出现伤病，她错过了世界女排联赛总决赛和亚运会；幸运的是，她在瑞士女排精英赛中抓住了机会，迎来了大爆发。大多数女排主力在参加完亚运会后轮休，杨涵玉成为中国女排在瑞士精英赛的最大亮点，她不负重望，充分展现了自己的进攻和串联能力。考虑到世锦赛赛程漫长以及伤病等因素的影响，最后关头，中国女排教练组决定带 4 名副攻，小将杨涵玉搭上了末班车。

　　世锦赛场场硬仗，年轻的杨涵玉并没有得到太多的上场机会，但第 1 次世界三大赛的经历让杨涵玉开阔了眼界，也更加明确了未来努力的方向。她已将目标瞄准 2020 年，渴望在东京奥运会证明自己。

场下队员的"后勤保障工作"也是有贡献的

Q：在国家队集训的这几个月最大收获是什么？

杨涵玉：世锦赛前在北仑那两周，是我这一年训练最安心最踏实的时候，因为放下了得失的想法，既然最后能不能参加世锦赛不是我能决定的事情，我就把自己做好，每天尽全力好好训练，把状态保持好。

Q：知道自己入选世锦赛大名单是什么感觉？

杨涵玉：之前没有想到自己能来世锦赛，因为竞争非常激烈。感谢郎导能给我这次机会，我会好好努力，争取不辜负郎导对我的期望。

Q：六强赛对阵荷兰队的比赛中第 3 局出场，完成世锦赛首秀，当时是什么感觉？

杨涵玉：能有机会上场特别激动，但是球发得有点菜，如果能有下次机会，希望能做得更好一些。

Q：作为国家队的一年级新生，世界三大赛的氛围带给你怎样的感受？

杨涵玉：很热血，能够参与其中很幸福。

Q：郎导曾经说过，作为球队的一员，不是说上场才对队伍有贡献，场下队员同样做了很多工作。

杨涵玉：我们就是让首发队员把注意力放在比赛中，我们做好"后勤保障工作"。

Q：平时业余时间喜欢做什么呢？

杨涵玉：我喜欢游泳，很多女生喜欢逛街，我觉得好累啊，玩玩水多好。

Q：听说你以前还练过游泳？

杨涵玉：对，打排球以前我是专业练游泳的，蝶、仰、蛙、自都练，后来转到另一所学校，学校没有游泳队有排球队，就改打排球了，和排球结缘也算是机缘巧合，现在依然挺喜欢游泳的。

Q：你长这么高和打排球有关吗？

杨涵玉：我也不知道，我刚开始打排球的时候特别矮，后来一接触排球就噌噌往上长。我爸爸妈妈也都挺高的，我爸爸 1.95 米，妈妈 1.85 米，他们都是打篮球的。

Q：觉得排球和游泳有什么共同之处吗？

杨涵玉：我觉得排球和游泳一样，都是一天不碰身体就会有生疏的感觉。我过去游泳练了好几年，但是中间一停，现在再去游就觉得游不动了。

出生日期：1996年5月17日
星座：金牛座
家乡：辽宁省
身高：186cm
扣球高度：290cm
拦网高度：285cm
场上位置：副攻
个人爱好：看电影、打游戏

胡铭媛

我"胡一刀"可是江湖叫得响的

2018 世锦赛

半决赛中国女排对阵意大利女排，在第 1 局失利、第 2 局打到 23 ：21 的关键时刻，胡铭媛的两个发球直接得分，帮助中国队拿下了第 2 局。

2018 年，中国女排的副攻线来了个"新兵蛋子"：在 4 月份第一次入选国家队的胡铭媛。身高 1.86 米的她，是近年来中国女排少见的"矮个副攻"。

有些不可思议的是，1 年前，这位姑娘在辽宁队都还没能打上球呢。不过，虽然一直没能在成年队完成首秀，胡铭媛在关注女排的粉丝中却一直都有很强烈的存在感，这主要得益于 2013 年世少赛（U18）。那届比赛，在中国队登上最高领奖台的同时，一鸣惊人的袁心玥将 MVP（最有价值球员）收入囊中，而她当时的对角副攻，便是身高比她矮很多的胡铭媛。2014 年亚青赛（U19），中国队再次夺魁，这次，胡铭媛入围了最佳阵容。

身高没有优势的胡铭媛，其突出优点是比赛气质好、出手速度快、爆发力强，江湖人称"胡一刀"。2018 年，胡铭媛终于得到了国家队的征召。

当时的中国女排共有 7 名副攻，数量是如此的巨大——教练组海选副攻的意图非常明显了。对胡铭媛来说，无论是身体条件还是比赛经验，她都不太占有优势，果然，4 月份的漳州集训结束后，她被调整离队。

机会总是留给有准备的人。世界女排联赛分站赛开始前，杨涵玉因伤离队，主教练郎平又将胡铭媛补招进队。这次，胡铭媛抓住了难得的机会，很快站稳了副攻替补的位置，从世界联赛到亚运会、瑞士精英赛，再到世锦赛，这一年的国家队赛事，胡铭媛一个都没有落下。

4 年前，当中国女排的大姐姐们出征世锦赛的时候，胡铭媛还在青年队，"没想到有一天我也能站在这个赛场"。

胡铭媛对自己的期待很朴实："作为国家队的一名新兵，希望通过自己给队伍带来一些帮助，也希望能够快速融入这个队伍，为队伍尽一份力。"

自己的首次世界三大赛之旅，胡铭媛便实现了赛前所言，作为发球替补登场的她基本每次都在打到局末关键分时上场发球，表现不俗。从国家队返回辽宁队，大家的感觉是胡铭媛瘦了，球打得更好了。在 2018-2019 中国排超联赛中她更是大放异彩。对此，辽宁女排的主教练也大加赞扬："她确实提高了不少，包括纯技术环节的拦网、在场上的稳定性、（对）年轻队员的带动方面都起到了很好的作用！"

辽宁队队长、现担任中国女排主力二传的丁霞对这名队友同样给予了很高的评价，尤其是世锦赛的表现："我觉得变化挺大的！因为世锦赛虽然没怎么打，但关键时刻有上去换发球，我觉得这对她的心理肯定是一个很大的锻炼；确实在经历了世锦赛，她在打联赛时比去年更加知道什么时候松，什么时候稳，打得更有把握。"

胡铭媛自己也知道，要想变得更好，必须要付出更多的努力。“我觉得首先在上步，包括整个挥臂的速度上还是要加强一些，还有平时练习力量方面，还是要多储存一些力量，包括整体和二传配合的节奏上，这些还可以磨合得更好。”

是的，值得期待。

上去就是大胆发，然后……效果还不错，哈哈哈哈哈

Q：世锦赛半决赛对阵意大利那场，你的表现让人印象深刻。第2局非常关键的时刻被换上去，当时心情是怎样的？紧张吗？

胡铭媛：我觉得既然教练组相信自己，我感觉技术上就不要怀疑自己，上去就是大胆发，然后那天发的效果还不错，哈哈哈哈哈。

Q：本次世锦赛也是作为国家队的新兵，第一次来到这么大型的比赛，有什么特别的感觉吗？

胡铭媛：其实在国内的时候训练就很紧张，就能感受到这次比赛的重要性。郎导也一直说这个比赛很重要，我自己也有些压力。尤其到了日本这里来，因为其他队伍都陆续到了，所以比赛的气氛也就有了。总之紧张感慢慢就上来了。

Q：那本次世锦赛，你觉得自己表现怎么样？

胡铭媛：还是有点遗憾吧，我觉得我可以打得更好。小组赛的时候我对自己发球很有信心，但到第二阶段打泰国和美国出现失误，心里很自责。但是教练一直对我抱有信心，心态就调整好了，不去想结果，而是专注在训练和比赛上。总之我还要继续再努力。

Q：你的特点就是小快灵，爆发力强，训练的时候有什么秘诀吗？

胡铭媛：我平时比较注重力量训练，会多做一些能提高爆发力的训练。

Q：今年你是第一次进国家队，感觉和在辽宁队比有很大区别吗？

胡铭媛：学到了很多，不仅是技术方面的。郎导教给我很多，比如一些很日常的饮食方面，有哪些吃的是不利于我们这些专业运动员素质提高的，之前我都没有这方面的概念。刚进国家队的时候看着我也不是很胖，但是我的体脂是不低的，到国家队之后就会有很大的转变，轻了之后跳起来会更轻松。（进入国家队）感觉增长的不仅仅是技术，还包括一些经验，国家队包括国家队的对立面，面对的都是些高水平的运动员，学到了很多，希望是从国家队回来之后，自己进步能更快一些。

Q：这次排球超级联赛精英赛你也是第一次打主力吧？

胡铭媛：对，作为一名年轻球员，我今年也是第一次在联赛中打主力。就一直想着在比赛当中全力去帮助队伍，在场上去尽一份力。

Q：对自己今后有什么期待？

胡铭媛：今年代表女排参加了所有比赛非常幸运，尤其是世锦赛给自己留下了美好回忆，也意识到自己的不足。我还是一名年轻球员，今后还是基于每一场球、每一场比赛、每一天的训练，希望能够进步，然后就是通过自己的努力，2019年能再次入选国家队。

出生日期：2000年2月19日
星座：双鱼座
家乡：黑龙江省
身高：192cm
扣球高度：312cm
拦网高度：300cm
场上位置：主攻
个人爱好：看电影、逛街、美食

李盈莹

我不是未来可期，我是未来已来

2018 世锦赛

　　李盈莹在中国女排的收官战中迎来了全新的爆发，她顶替张常宁首发出战，以 28 扣 16 中及 4 次发球得分，砍下全场最高的 20 分，是中国女排拿下铜牌的大功臣。

　　"初生牛犊不怕虎"，这是很多人给予小将李盈莹的评价。以左手强攻著称的她，常常以替补身份登场起到奇兵作用，而她的发球也总能给对手带去极大威胁。

　　2018 年，对于只有 18 岁的李盈莹来说注定是排球生涯中颇为特殊的一年。在这一年，她第一次成为中国排超联赛 MVP（最有价值球员），第一次全程参加了国家队集训，第一次拿到了亚运会冠军，第一次踏上了世界三大赛的舞台。一系列的"第一次"，让李盈莹有了飞速成长的体验。

作为国家队的一年级新生，2000 年出生的李盈莹是中国女排年纪最小的姑娘，大家都暖心地称呼她"妹妹"。但这个"妹妹"可不简单，10 岁就背井离乡，独自从黑龙江省齐齐哈尔市来到天津市打球。她也像所有远离家乡的人一样，经历了想家、孤独、煎熬、不甘、想放弃等心路历程，但最后，她还是在教练的帮助和自己意志的指引下狠心坚持了下来。这一坚持，就是 8 年。

2017-2018 赛季的排超联赛，李盈莹曾经单场轰下 45 分，刷新了由朱婷保持了 4 年之久的历史纪录——43 分；在决赛抢 7 大战中，李盈莹更是砍下 43 分，将自己的赛季总得分定格在 804 分，成为中国女排联赛第一位单赛季得分 800+ 的球员。3 项个人数据排名联赛第 1，她俨然成了中国排坛最具潜力的超级新星。

好酒不怕巷子深，更何况排超联赛从来就不是深巷子。很快，天赋异禀的李盈莹便如愿被招至郎平麾下，身披偶像惠若琪的 12 号战袍，为国家荣誉而战。在日本的爆发，尤其是在铜牌争夺战中打出她个人为国出征以来最亮眼的一战，既是她在排超联赛良好状态和心理的自然延续，也让人看到了中国女排更美好的未来。

但即便是在被聚光灯笼罩的 2018，李盈莹依然遭受过旁人的质疑，现在她已经逐渐成熟，学会调整心态了。她也听到太多外界的美誉——"天赋碾压众人""未来的女排领袖""朱婷接班人"，面对这些盛赞，她总是会羞涩而谦虚地表示，自己的差距还很大，还需要慢慢磨炼和提升。

人们常说李盈莹是"未来可期"，正在破茧成蝶的她其实已经用自己的表现证明：未来已来。

不是大家看到的 1 场比赛，而是大家看不到的 7 年、8 年的努力

Q：你 10 岁刚到天津打球的时候，是什么样的状态？

李盈莹：因为 10 岁的时候要学排球的缘故，背井离乡来到天津，甚至一年都见不到父母一两次。当时刚来天津的时候每天以泪洗面，可难受了，每天都哭，训练时也哭，回屋给我妈打电话也哭，睡觉的时候也哭，哭了得有一年多才好。后来每当遭遇困难和挫折时，我都学会一直努力告诉自己要学会克服困难，不会随意哭鼻子了。

Q：很多人都称赞你是天才少年，对这样的评价你怎么看？

李盈莹：我承认自己的先天身体条件（较好），个子比较高，手臂比较长，打排球会有一些优势，但先天条件可能只是一部分因素，更多还是需要后天努力。所以大家说我横空出世的时候，我觉得大家不了解我，我是通过这 7 年、8 年的努力才让大家通过 1 场比赛认识我的。

Q：还记得第一次代表国家队参加比赛时是什么样的心情吗？

李盈莹：当时又紧张又兴奋，在场上也是不断地去释放自己吧。

Q：2018 世锦赛之后是怎么放松的呢？

李盈莹：我妈妈来天津看我，因为天津也有很多媒体要求采访，我也没有自己再回齐齐哈尔，但不训练了心情也还挺放松的，有空的时候就逛逛街和陪妈妈。

Q：在国家队这一年，收获大吗？

李盈莹：今年是我第一年进国家队集训，对我来说也是一个学习的过程，通过比赛也看到自己的不足和差距，尤其是跟强队比赛能发现自己今后努力的方向。但也有自己进步的地方，可能进步的幅度不太大，还是需要继续地训练来提高自己。整体也是一个开眼界的机会。

Q：这一年大家特别关注你，压力会很大吗？

李盈莹：大家更多的是期望值比较高，觉得我在场上应该达到什么样的发挥，但在场上可能因为年轻运动员比赛经验不足，或者自己的发挥可能也不是很稳定。之前我也会看一些评论，不论是正面的还是负面的评价，但现在我会更关注自己的心态，能够积极调整自己。

Q：平时生活有什么爱好吗？

李盈莹：喜欢看电影、逛街，然后吃点好吃的。在场下还是比较小女生。

Q：自己有什么喜欢的明星吗？

李盈莹：我挺喜欢吴磊的，长得挺帅，又很年轻，学习能力也很强。

出生日期：1994年11月29日
星座：射手座
家乡：河南省
身高：198cm
扣球高度：330cm
拦网高度：300cm
场上位置：主攻
个人爱好：书法，瑜伽，历史，烹饪

朱婷
我是世界巨星

2018 世锦赛

朱婷共斩获 227 分，排在得分榜第 3，获得"最佳主攻"的荣誉。

2018 年 11 月 29 日，朱婷满 24 岁，本命年。2017 年，朱婷的生日感言是"不念过往，不畏将来"；到了 2018 年，她的生日寄语是"愿人生从容"。

因为，朱婷现在需要的就是从容。2018 年，她代表国家队征战 4 个月，一共打了 31 场比赛，取得 24 胜 7

负的战绩，获得亚运会冠军以及世锦赛、世界联赛季军。没能延续 2016 里约奥运会、2017 大冠军杯连续摘取金牌的辉煌，但也能算是好成绩——不管在哪个领域，一枝独秀还要霸占所有盛事的至高荣誉几乎是不可能的事情。

作为中国女排当之无愧的球队核心征战世锦赛，朱婷第 3 次在世界三大赛拿到"最佳主攻"的荣誉，巩固了世界第一主攻的地位，并在得分、进攻、一传、防守等各个环节都支撑了全队。世界三大赛就数世锦赛的赛程最为漫长，最考验运动员的体能和精力，尤其是各队核心。同样是 4 支半决赛球队的核心，意大利队的保拉·艾格努、塞尔维亚队的蒂亚娜·博斯科维奇和荷兰队的朗尼克·斯洛特耶斯只负责进攻，而朱婷除了进攻，还要兼顾一传，还要以队长的身份肩负起鼓舞全队士气的重任。

从 4 年前初出茅庐的小将到如今中国体育的榜样力量，"婷队"对责任和伟大的诠释更加深刻，任何事情都善始善终，以身作则，带领中国女排奔向更高的目标。

"婷队"的正式履新是在 2017 年 6 月 2 日，第 1 站的征战便是年度大奖赛，结果她自己在半决赛中意外挫伤手腕，这一意外成为中国女排输掉比赛的原因之一。尽管再次拿到了"最佳主攻"，可没有她的中国女排又输掉了季军争夺战，最终名列第 4。

第 2 站是大冠军杯，"婷队"圆满完成了任务，模式是熟悉的"冠军 + 最佳主攻"。然后，奔赴伊斯坦布尔，代表瓦弗基银行队征战 2017-2018 赛季的土耳其超级联赛。此时的朱婷，已于 2017 年 5 月 14 日帮助这支豪门级的俱乐部球队举起了世俱杯的冠军奖杯，自己还收获了 MVP（最有价值球员）、得分王、最佳主攻等荣誉。因此，在新的俱乐部赛季开始前，朱婷许下愿望："争取全部的冠军。"

接下来，就是她的收获之旅：

土耳其超级杯：冠军

土耳其排球超级联赛之于排球，类似于 NBA（美国职业篮球联赛）之于篮球、英超（英格兰足球超级联赛）之于足球、F1（世界一级方程式锦标赛）之于赛车，汇聚了几乎全世界所有的优秀排球运动员，年薪 100 多万欧元者多达数人，朱婷的收入只能排第 2，甚至她在瓦弗基银行队都未能如在中国队那样佩戴队长的袖标。

每年的新赛季正式揭幕前，土耳其超级杯作为开场大戏先行预热，参赛队伍是上赛季联赛冠军和杯赛冠军。由于费内巴切队在 2016-2017 赛季拿到了联赛和杯赛的双料冠军，所以瓦基弗银行队以杯赛亚军的身份获得参赛资格。

这场超级杯的较量可以说是朱婷和瓦基弗银行队的复仇之战：2016-2017 赛季的土耳其杯决赛，正是费内巴切队终止了瓦基弗银行队的 14 连胜，让朱婷在土耳其的首个决赛中告负。两队再次交锋的时候，费内巴切队完全失去了抵抗能力，瓦基弗银行队轻轻松松以 3：0 横扫对手。朱婷首发打满全场，拿到最高的 15 分。特别要说的是，这也是朱婷获得的第 1 个土耳其国内赛冠军。

至此，代表瓦基弗银行队的朱婷在其海外联赛中已经收获了欧冠联赛、世俱杯、土耳其超级杯等 3 个冠军，创造了新历史。

土耳其杯：冠军 +MVP

错失 2016-2017 赛季的土耳其杯冠军之后，朱婷终于迎来了弥补遗憾的机会：瓦基弗银行队将在决赛中面对老对手伊萨奇巴希队。在此前的联赛中，伊萨奇巴希队赐给了瓦基弗银行队赛季首败，这场决赛再次对瓦基弗银行队造成强烈冲击，但是，朱婷在和对方头号攻手博斯科维奇的对轰中笑到了最后，拿下 24 分，力压对方的 21 分成为得分王，并带领瓦基弗银行队以 3：0 击败对手，夺得桂冠。随后的颁奖礼上，朱婷又将 MVP 奖杯纳入怀中。

土耳其超级联赛：冠军 +MVP

在关键的决赛第 5 场生死战中，朱婷率领瓦基弗银行队，客场 3：0 力克伊萨奇巴希队，从而以总比分 3：2 隔两年重夺联赛冠军。这是朱婷夺得的第 1 个土耳其国内联赛冠军。斩获 MVP 的同时，本场得到 20 分的朱婷还实现了联赛、杯赛、超级杯、世俱杯和欧冠的俱乐部大满贯。

欧冠联赛：冠军 +MVP

早在 2017 年 4 月 24 日便拿到了，并且，基本完成了荣誉模式的定型。

至此，朱婷已经在异国他乡实现了她的心愿，拿到了她在土耳其俱乐部赛场所能拿到的一切：所有的冠军，所有的 MVP，所有的褒奖与赞叹，所有的鲜花与掌声，土耳其超级杯、土耳其杯、土耳其超级联赛、欧冠联赛、世俱杯，一举实现了赛季大满贯。排球世界不得不为朱婷创造了一个新词，将"super"改成"Zhuper"，以匹配朱婷的巨星级表现。

瓦基弗银行队从来不开总结会，职业经验老到的球员们依照自己的方式回顾比赛，评估得失，朱婷保持着自己的总结方式，在脑袋里"过电影"，"打好打坏都会回想"。

"记不住每一个球的，没人能记住！特别好的，你可能也要想一想。特别坏的，你肯定也记得。开心和不开心的事都会记得，反而是那些平庸的时刻，就会忘记。"朱婷如此介绍自己的总结方式。

现在，朱婷的海外打球生涯已进入了第3年。一年级心怀忐忑，二年级变得从容，到如今再全新出发的时候，自信和坦然早已让朱婷可以从容面对任何挑战。

赛场外，长期以来外界都在描述与评说朱婷的冷静、稳定、理性、可靠以及她那似乎与生俱来的巨星品质，甚至有人说，似乎这世界还没有找到不喜欢朱婷的人。赞誉有来自球场内的，也有来自球场外的，一度呈排山倒海之势，好在以修车谋生的父亲教会了她坚持敦厚和懂得感恩的品行，她一直怀有一颗沉稳朴素的心。2016里约奥运会中国女排登顶，朱婷才22岁，MVP、最佳主攻以及随之而来的"女排精神"之赞铺天盖地，但她已经学会了冷静自如地应对，对于外在的盛名与赞誉不动声色，只吐出3个字：

"太沉了。"

回头看，朱婷当初选择到土耳其打球，似乎也有着刻意选择与名利场保持距离的因素。

朱婷出生在河南省周口市郸城县的农民家庭，排行老三。因为家庭经济并不宽裕，她从小到大穿的用的是大姐二姐留下来的东西，想要一双自己的新鞋子都是遥不可及的事情；不难理解，作为从平凡家庭走出来的超级巨星，朱婷其实只是希望凭着自己的努力让家人生活得轻松一些，只是没想到之后的路越走越远，越走越狂野。

一路往前走，往远处走，往高处走，朱婷自身也在向着更深的层次提升，语言、思想、心理、球技，用她自己的话来说就是"变化大了去了"。具体到打球，一些困难球的处理办法比之前更丰富了，打得更聪明了；她更懂得合理分配体力，面对时间长、强度大的赛程，逐渐摸清了如何在保证训练和比赛的前提下，不让自己过于疲劳，在大赛的后半程竞争中仍有充沛的体力，如同各个领域的绝大多数"伟大运动员"，关键时刻击出最强有力的扣杀。

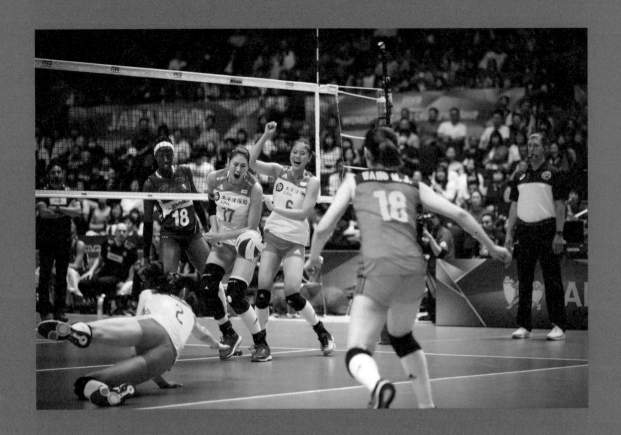

而球场外，朱婷也开始对"伟大运动员"有了自己明晰的标准：

"首先是气场，再一个是成绩。"

朱婷还认为，在职业生涯的末期也能有好的身体状态，这是"伟大运动员"的一个重要标准，也是自己想要去做的。李娜是一个范本。不是因为打不了而不再打了，而是在一个可以退役的年龄，还有一个好的竞技状态。

朱婷，这个年轻的姑娘承担着中国女排和家庭的双重重任，有着不符合年龄的成熟心智，她总是过于清醒地看到别人的优点和自己的缺点，深知时刻保持危机感才能不断进步。包括在土耳其集训期间，除了队伍规定的训练量之外，朱婷自己也一直保持每周 3—4 次的健身活动，只为让自己的身体能保持时刻待命的状态——无论外界有着怎样的纷扰，沉下心来，踏实做事情，一定是她坚持选择的方向。

"排球是我生命的底色。"朱婷曾经这样说。

而在未来，尤其是新的奥运会周期，随着人生经历愈加丰富，更为成熟的她也更懂得如何把握自己想要的东西。24 岁的她遇到的困难和考验还没有过去，而 25 岁的她又会有哪些新变化、新尝试呢？世界拭目以待。

Q¹¹

姚明大哥和李娜姐学不来，郎导也不是未来的方向

Q：别人都说你是天才，你觉得自己有过人的天赋吗？

朱婷：我不是天才。当时选择排球前因为瘦、没有肌肉，篮球教练、皮划艇教练都不要我，所以选择了没有身体冲撞的项目。我什么都没有，教练教什么东西，我就去练，一直去做，一直去做……像我这样条件的人很多。

Q：你觉得自己最大的优势是什么？

朱婷：我的优势是集体，我们集体的能力发挥会超过 12 人、14 人，我们从心态上做得更好。对我来说，提高自己要更全面更精细。作为大队员，需要做得更多。

Q：是因为早年生活比较困难，才选择排球成为自己的一条出路吗？

朱婷：排球不是我面对命运的唯一出路，坚持才是。

Q：现在外界的舆论都把你视作继姚明和李娜之后，中国的下一个国际体坛巨星。面对这些赞美，你内心真实的想法是什么样的？

朱婷：刚开始听到还是很开心，因为我觉得姚明大哥和李娜姐都是推动中国体育发展的风云人物。但扪心自问的话，自己与他们的差距还是很大的。外面的膨胀是给外面看的，内心的东西只有自己才知道。媒体肯定是尽量说自己好的方面，我自己觉得还是不要太浮妄，一步一步走。拿成绩说的话，虽然也取得世界冠军了，但在社会上的影响力和推动力来说，我觉得我可能是在后面的，我也会朝着他们的那个方向努力。

Q：你觉得作为体育明星，除了竞技场上有很好的成绩之外，还得具备哪些素质？

朱婷：我觉得你要有大局观，尤其是对集体项目来说，大局观很重要。因为不是所有人的思想都会在一个点上统一，你要会招呼大家、笼络大家。不论是在困难的时候还是在顶峰的时候，你能带领整个团队做上去。还有很重要的一个就是，在大众熟知的情况下，能够多为大众做一些事情。

Q：你站在这么一个位置，想过未来会成为一个什么样的人吗？

朱婷：很多人希望我成为郎导那样的人，但郎导那个位置不是所有人都能做到的，因为太累了。郎导的敬业精神、对排球的情感和从始至终坚持做一件事情的精神，是我一直所钦佩的。现在对我来说，排球我所能支撑的可能是 3 届奥运会、3 个周期，但结束排球（运动员生涯）之后再去执教，再去从头开始做，我觉得一是可能从身份的转变，二是从状态、从思想的转变，还要再去做之前所做的事情，我不太想。郎导并不是我未来的方向，但我还没有太想好未来会去做什么，可能两年之后我进入一个新的阶段，又会有新的思想。

Q：在当下这个阶段，你面对的最大的问题是什么？

朱婷：我自己害怕被淘汰、害怕伤病。现在的体育生都是非常年轻化的。我是 1994 年的，我已经算老的了，现在的一批孩子 1999 年的都已经进入国家队了。2013 年我进入国家队的时候是最小的，4 年之后，她们变成最小的了。

Q：很多观众可能会惊异，你现在已经不仅仅是中国女排的一个象征性人物了，现在你最害怕的竟然是被淘汰？
朱婷：现在很多人看比赛可能已经觉得我扣球不像以前那么犀利了，得分也不像以前那么从容。这可能确实是自身的一个问题，我应该需要教练和队员的帮助，去寻找新的打法或者说新的技术尝试。还是需要多充电，既是为了提高自己，也是为了多为队里做贡献。

Q：听说你比赛期间睡觉不太好？
朱婷：睡得不好，因为压力也大，朋友都说"你的黑眼圈都掉到下巴颏了！"而且掉发也非常严重，一抓一大把，头发越来越少。

Q：有人站在生命沸点的时候，考虑的可能是四处张望，不断膨胀更多的野心和想法。现在你站在生命的沸点，虽然也会高兴一下，但是不是很多时候是恐惧感在支配着你，因为你是往回看的？
朱婷：对，这跟排球正好是相反的。排球是往前看的，不要看后面，之前发生的事情已经过去了。对我来说，过惯了现在这种生活，也不会再去过以前的那种生活，我的大姐二姐已经成家，还有两个小妹妹，我想给她们最好的生活，所以必须保证我走的路是最稳的，因为我摔倒之后可能会回到原地，所以我不如慢慢地走。对我来说，"稳"是我现在最想要的，从排球来说"稳"可以稳定军心，能稳定大局；从我整个人生或者整个家庭来说的话，我更希望把这方面做好。

Q：你现在对财富怎么理解？
朱婷：有是最好的，毕竟也是从没有走过来的。它能让你有好的生活。但现在很多名人有了好的生活反而想回归童与真的感觉。我就想给父母提供更好的物质基础，让他们安心。

第四篇

中国女排的
光荣与梦想

文 /
陶冶

第1冠：1981 世界杯

时间：1981 年 11 月 6 日～ 16 日　地点：日本

　　中华人民共和国成立的时候，世界排球强国主要是苏联以及其他的东欧国家，6 人排球为主流，于是，以 9 人排球为主流的中国一切从 0 开始：1953 年成立中国排球协会，1954 年成为国际排联的正式会员。1956 年，中国女排获邀参加在法国举行的第 2 届世锦赛并获得第 6 名，正式开启光荣与梦想之路。

　　20 世纪 60 年代的亚洲女排乃至世界女排的霸主是日本队，她们号称"东洋魔女"，1960 年后在国际赛场连胜 118 场，并在 1962 世锦赛、1964 东京奥运会排球赛的决赛中击败强大的苏联队而夺冠。在这种情况下，中国排协经过周恩来总理的批准，于 1965 年 4 月邀请只手打造了日本女排的传奇教练大松博文来华训练中国女排 1 个月，令中国女排逐渐抬头……

　　1976 年，新的中国国家队正式成立，袁伟民出任主教练，并在 1979 亚锦赛决赛中以 3：1 击败日本队，首次称霸亚洲。

　　女排世界杯创办于 1973 年，每 4 年举办 1 届，采取单循环赛的方式进行，日本用 150 万美元永久买断了从 1977 年开始的举办权。1981 年 11 月 6 日～ 16 日，第 3 届世界杯在东京等城市举行，中国队和巴西队、保加利亚队、古巴队、韩国队、苏联队、美国队以及东道主日本队等 8 支国家队参加，最终，中国队以 7 战全胜的成绩夺得冠军。

　　这是中国女排第 1 次荣获世界冠军，同时也是中国三大球的第 1 个世界冠军，这种历史性突破为祖国赢得了至上的荣誉。

　　此外，袁伟民夺得"最佳教练员"的称号；孙晋芳一举夺得"最佳运动员""优秀运动员""最佳二传"等奖项；郎平夺得"优秀运动员"的荣誉。中国女排正式屹立在了世界排球的大舞台。

冠军成员

教练： 袁伟民、邓若曾

队员： 曹慧英、梁艳、郎平、周晓兰、杨希、孙晋芳、陈招娣、周鹿敏、朱玲、陈亚琼、张蓉芳、张洁云

第 **2** 冠：1982 世锦赛

时间：1982 年 9 月 12 日～ 25 日　　地点：秘鲁

　　1982 年 9 月 12 日～ 25 日，第 9 届女排世锦赛在秘鲁举行。意外的是，原定参赛的德意志民主共和国队临时退出，只好由秘鲁青年队替代其席位，但不计成绩。

　　第一阶段被分在第 6 组的中国队输给了美国队，最终 2 胜 1 负，以小组第 2 出线；第二阶段的复赛开始后，分在 B 组的中国队状态全开，以 4 个 3 ：0 先后击败古巴队、匈牙利队、苏联队、澳大利亚队。而同样是在 B 组的美国队收官战以 2 ：3 输给了古巴队，与中国队胜负相同，但由于在小组赛击败了中国队而继续排在 B 组第 1，同中国队以及 A 组前两名日本队、秘鲁队晋级半决赛。半决赛的中国队没有遇到什么抵抗，以 3 ：0 击败了日本队。决赛又以 3 ：0 战胜了秘鲁队，最终夺得冠军，并取得了 1984 洛杉矶奥运会的参赛资格。

　　中国女排第 2 次获得世界冠军并渐露王者之相；美国队获得铜牌并蓄势待发，目标瞄准即将在自己祖国举办的奥运会。

冠军成员

教练：袁伟民、邓若曾

队员：孙晋芳、郎平、梁艳、曹慧英、杨希、周晓兰、杨锡兰、陈亚琼、姜英、陈招娣、郑美珠、张蓉芳

第3冠：1984 洛杉矶奥运会排球赛

时间：1984 年 7 月 28 日～8 月 11 日　地点：美国

　　1984 年 7 月 28 日～8 月 11 日，第 23 届奥运会在美国举行，其中，女排比赛在 7 月 30 日～8 月 9 日进行，美国队、中国队、日本队、韩国队、秘鲁队、巴西队、德意志联邦共和国队、加拿大队等 8 支球队参赛。比赛分为两个阶段，第一阶段是小组赛，中国队和对冠军志在必得的东道主美国队同分在 A 组，在全球聚焦的小组收官战中，中国队以 1：3 输给对手，屈居第 2；第二阶段为交叉赛、半决赛、决赛，结果，中国队在半决赛中以 3：0 击败了日本队，决赛中又是 3：0 击败美国队，在狂热的美国观众面前，第 1 次夺得了奥运会金牌。日本队夺得铜牌。

　　在这里，不得不说一下美国队。20 世纪 80 年代的美国女排进入她们的黄金时代，原计划是在 1980 莫斯科奥运会一圆冠军梦，但由于苏联出兵阿富汗，美国以抵制奥运会来表达抗议，女排姑娘们的梦早早碎在了美国的大门内。4 年后的洛杉矶奥运会，拥有世界级主攻海曼·弗洛拉的美国队本想借东道主之利圆梦，但很不幸，梦碎于中国姑娘们之手。其中，尤其是郎平，每场都是全队得分最高的。

　　算上 1981 世界杯和 1982 世锦赛的两块金牌，中国女排已经在世界大赛中实现了三连冠，并大踏步朝着五连冠的历史伟业迈进。

　　1984 年 12 月，居功至伟的袁伟民调任国家体委（国家体育总局的前身）副主任，邓若曾接过了主教练的教鞭。

冠军成员

教练：袁伟民、邓若曾

队员：郎平、梁艳、朱玲、侯玉珠、周晓兰、杨锡兰、苏惠娟、姜英、李延军、杨晓君、郑美珠、张蓉芳

第4冠：1985 世界杯

时间：1985 年 11 月 10 日～ 20 日　地点：日本

　　1985 年 11 月 10 日～ 20 日，第 4 届女排世界杯在日本东京、仙台、札幌、岩见泽、福冈等地举行，8 支队伍中少了上届的美国队和保加利亚队，多了突尼斯队和秘鲁队。

　　这届世界杯，郎平成为继曹慧英、孙晋芳、张蓉芳之后的第 4 任中国女排国家队队长。开赛前，她代表中国女排将冠军奖杯交还给国际排联主席鲁本·阿科斯塔；12 天后，又是她，从阿科斯塔手中接过了同一座奖杯。在这 12 天的杀伐中，中国女排 7 战全胜，其中，首战只用了 35 分钟，最末战面对东道主日本队的顽强奋战以及 1 万多名现场观众的疯狂呐喊，再次以 3 ：0 胜出。

　　郎平获颁"最佳运动员"和"优秀运动员"，杨锡兰是"最佳二传"和"优秀运动员"，郑美珠是"优秀运动员"。中国女排成为世界排球史第 1 支连续 4 次夺得世界三大赛冠军的女子国家队。

冠军成员

教练：邓若曾、胡进、江申生

队员：郎平、梁艳、杨锡兰、郑美珠、杨晓君、苏惠娟、巫丹、殷勤、侯玉珠、姜英、李延军、林国清

第 5 冠：1986 世锦赛

时间：1986 年 9 月 2 日～13 日　地点：捷克斯洛伐克

　　1986 年 9 月 2 日～13 日，第 10 届女排世锦赛在捷克斯洛伐克的日利诺市、布尔诺市、奥洛莫茨市和比尔森拉市等城市进行。与上届相比，本届世锦赛锐减了 8 支参赛球队，只有 16 支，分为 4 个小组打第一阶段比赛。

　　刚刚退役的郎平第 1 次以教练身份出现在世锦赛赛场，主教练是张蓉芳。第一阶段的小组赛，中国女排分在 B 组，结果 3 战全胜出线，其中包括击败苏联队；第二阶段的复赛，中国女排继续保持不败，先后击败了美国队、意大利队和日本队，昂首进入半决赛；之后分别以 3：0 击败秘鲁队、以 3：1 击败古巴队，最终以 8 战全胜的成绩夺冠，成为世界女排史上第 1 支在奥运会、世界杯、世锦赛连续 5 次夺冠的球队。

　　从此，女排精神，成为中国人心目中无可比拟的精神力量。

冠军成员

教练：张蓉芳、郎平、江申生

队员：杨晓君、郑美珠、侯玉珠、梁艳、巫丹、姜英、杨锡兰、殷勤、李延军、苏惠娟、刘玮、胡小凤

第6冠：2001 大冠军杯

时间：2001 年 11 月 13 日～18 日　地点：日本

　　"五连冠"之后的中国女排进入低迷期，助理教练郎平并没有从张蓉芳手中接过大旗，而是直接卸任，并选择了出国留学及执教意大利和美国的俱乐部球队。中国女排先后经历了李耀先、胡进、栗晓峰等主教练的更替，成绩日见下滑，杨锡兰、苏慧娟、许新、李国君等 4 任队长都无法带队夺取世界大赛的冠军，全成悲情英雄。

　　1995 年，终于等到了郎平的回归，在她执教的 4 年里中国女排逐渐恢复元气，先后取得了世界杯铜牌、世锦赛和奥运会银牌的佳绩，却始终无缘金牌。国人难说满意，总感觉差了点什么。之后，郎平因身体原因请辞主教练职务，胡进"二进宫"，结果却是 2000 年悉尼奥运会名列第 5，堪称惨败。这期间，又有赖亚文、孙玥、吴咏梅 3 任队长饮恨，尽管她们足够优秀，却始终无缘世界冠军。

　　2001 年 2 月，陈忠和正式出任主教练，并于 11 月带领中国女排在日本赢得第 3 届大冠军杯赛的冠军。大冠军杯创办于 1993 年，成色不如世界三大赛，但是，陈忠和当年带领"黄金一代"拿下冠军依然令国人兴奋，毕竟，中国女排已经有 15 年——其间，世界的变化可谓是翻天覆地，德意志联邦共和国和德意志民主共和国实现了统一，苏联解体，捷克和斯洛伐克分裂，南斯拉夫土崩瓦解继而爆发科索沃战争，排球，尤其是女子排球不得不受这些大事件的影响，格局也完全不同了——没拿到过真正意义的世界冠军了。正是以此冠军为契机，中国女排逐步走上了中兴之路，再创了自己的时代。

冠军成员

教练： 陈忠和

队员： 张静、杨昊、周苏红、张越红、刘亚男、赵蕊蕊、陈静、冯坤、李珊、宋妮娜、熊姿、林汉英

第7冠：2003 世界杯

时间：2003 年 11 月 1 日～15 日　地点：日本

　　第 9 届女排世界杯于 2003 年 11 月 1 日～15 日举行，经过两周激战，中国女排最终是 11 战全胜，一举夺冠。这是中国女排 17 年后再次获得世界三大赛的冠军。

　　11 场比赛，最具决定性意义的是第 9 场，至今仍然是中国女排史最经典的战役之一，一次次地被媒体和球迷重温。一方面，此战过后中国队积 18 分，离冠军越来越近了；另一方面，中国队是在落后的情况下以 3：2 逆转对手的，比赛进程可谓是步步惊心。

　　赢得首局后的中国队连输 2 局，将自己逼到死角的残酷现实。好在之后的第 4 局，背水一战的中国女排开局顺利，一度领先美国队多达 6 分并最终将比分扳成 2：2。决胜局美国队先声夺人上来就连续得分，但中国队坚持灵活多变的打法，将比分反超后并保持着 3 分左右的优势，最终以 15：11 的局比分笑到了最后。

　　决胜局的制胜球来自刘亚男的重扣，在皮球应声落地、记分牌变成 15：11 的瞬间她躺倒在地，捂紧脸，泪水夺眶而出；全场独得 20 分的周苏红眼眶红了，一把抓过毛巾掩住脸；冯坤没有了平常那种获胜后的笑容，而是悄悄走到场边拿了一瓶水，然后，长长地出了一口气。球网的另一边，不少的美国姑娘还呆坐在场地。"正是因为队员们在关键时刻进入了一种忘我的境界，才在非常不利的情况下创造出反败为胜的机会。"赛后主教练陈忠和说。他还表示，当对手领先时自己并不紧张。

冠军成员

教练：陈忠和、赖亚文、张文一、包壮、张健章

队员：杨昊、王丽娜、张越红、赵蕊蕊、刘亚男、陈静、张萍、冯坤、宋妮娜、周苏红、李珊、张娜

第 **8** 冠：2004 雅典奥运会排球赛

时间：2004 年 8 月 13 日～ 29 日　地点：希腊

　　第 28 届奥运会的举办时间是 2004 年 8 月 13 日～ 29 日，女排比赛是 8 月 14 日～ 28 日，地点是雅典的和平友谊体育馆，共有中国队、古巴队、美国队、日本队、意大利队、巴西队、俄罗斯队、韩国队、希腊队、肯尼亚队、多米尼加队、德国队等 12 支参赛球队，中国队并非最大夺冠热门。

　　在第一阶段的小组赛中，B 组的中国女排以 5 战 4 胜 1 负积 9 分、小组第 1 的身份进入八强，其中，赢中国队的是古巴队，双方战至第 5 局，按规则先得 15 分者取胜，中国队以 13：15 惜败。要强调的是古巴女排是当时的传统豪强，有"加勒比旋风"之美誉，已经连续 3 次夺得奥运会金牌，2000 年悉尼奥运会的那批队员更是被唤作"白金一代"。也因此，在中国队小组赛失利后，举国球迷和媒体都为陈忠和以及他的女排姑娘们担心。这种担心是有道理的，绝非杞人忧天。

　　没承想，接下来的比赛进程更是惊心动魄。

　　1/4 决赛中国队 3：0 轻取日本队。半决赛的对手又是古巴队。这次，连运气也站到了中国队这边，对方的主力副攻南茜·卡里罗脚踝扭伤。尽管古巴队在先输给中国队两局的情况下依然众志成城，连赢两局将比赛拖至决胜局，但是，她们依然抵不住中国女排的细腻和快速多变，最终以 2：3 落败，将中国女排送到了强大的俄罗斯队面前。

　　决赛在北京时间 2004 年 8 月 29 日凌晨打响，中国女排和俄罗斯女排展开终极荣誉之战。前两局，中国女排分别以 28：30、25：27 失利，大比分变成了 0：2，眼看俄罗斯队就要庆祝胜利。对中国女排姑娘们利好的信号是，这两局她们本都有机会拿下对手。于是，她们在陈忠和的指挥下重新鼓起勇气，走进赛场，身为球队灵魂的队长冯坤更是表现出了强硬的心理素质，不断用淡淡笑容鼓励全队。之后，胜利的天平逐渐向中国女排倾斜，她们以难以置信的拼搏精神奇迹般地以 25：20、25：23 和 15：12 连扳 3 局，经过两个多小时的艰苦奋战，拿下了继 1984 洛杉矶奥运会之后的第 2 枚奥运会排球赛金牌。

冠军成员

教练：陈忠和、赖亚文、张健章

队员：冯坤、杨昊、刘亚男、李珊、周苏红、赵蕊蕊、张越红、陈静、宋妮娜、王丽娜、张娜、张萍

第9冠：2015 世界杯

时间：2015 年 8 月 22 日～9 月 6 日　地点：日本

　　第 12 届世界杯在 2015 年 8 月 22 日～9 月 6 日举行，共 12 支队伍参赛，前两名直通 2016 里约奥运会。在最末轮的决赛中，中国队 3：1 力克日本队，时隔 12 年再获世界杯冠军，这也是中国女排的第 9 个世界冠军。

　　中国队面临的挑战主要来自前 3 场，尤其是首场对阵塞尔维亚队。中国队开局先输，之后变阵奏效，依靠丁霞等年轻队员力挑大梁，连扳 3 局实现了逆转，这其中，顶替队长惠若琪担当主攻的小将张常宁尤为引人注目，她不仅全场拿下了 18 分，而且承担起了全队 50% 左右的一传和防守，一传成功率甚至达到了51.35%，尤其是在最终结束缠斗的第 4 局，她连续防起塞尔维亚队的强攻，帮助中国队在关键时刻稳住了阵脚。

　　第 2 场中国队雪藏主力依然取胜。这样的策略是为了在第 3 场全力迎战强大的美国队，但最终，依然以0：3 输给了老对手。尤其是中国队的进攻，居然是以 38：55 落后 17 分之多！但正如主教练郎平所说："输球的结果我们要面对，成长的学费我们要交。"之后的中国队一马平川，基本没遇到什么阻力顺利夺冠。

冠军成员

教练：郎平

队员：袁心玥、朱婷、沈静思、杨珺菁、魏秋月、曾春蕾、张常宁、张晓雅、林莉、丁霞、颜妮、王梦洁、刘晏含、刘晓彤

第 **10** 冠：2016 里约奥运会排球赛

时间：2016 年 8 月 5 日～21 日　地点：巴西

　　2016 年 7 月 18 日，中国奥运代表团正式成立并公布了中国女排 12 人名单，其中仅 3 人拥有奥运经验，分别是副攻徐云丽、二传魏秋月、主攻惠若琪。队长依然是惠若琪。

　　小组赛阶段，B 组的中国队出师不利，这支年轻的队伍首战便以 2：3 的比分被对手荷兰队实现了翻盘，不过，五局比分为 23：25、25：21、25：18、22：25、13：15，尤其是决胜局曾经 10：7 领先，说明了中国队的实力，同时也说明了他们的经验欠缺；之后，两个 3：0 分别击败意大利队和波多黎各队让国人看到了希望；可面对塞尔维亚队的 0：3 惨败，再次让国人的心跌了下去；收官战 1：3 输给美国队，看似没什么希望了……但从此，进入第二阶段的淘汰赛后，中国女排似乎是被对手打醒了，或者说是发生了根本性的改变，先后以 3：2 击败巴西队，3：1 击败荷兰队，在先输 1 局的情况下连赢 3 局最终以 3：1 击败了刚刚令自己蒙羞的塞尔维亚队，12 年后，再次为中国球迷带来了排球的至高荣誉。

冠军成员

教练：郎平、赖亚文、安家杰
队员：袁心玥、朱婷、杨方旭、龚翔宇、魏秋月、张常宁、刘晓彤、徐云丽、惠若琪、林莉、丁霞、颜妮

第 **11** 冠：2017 大冠军杯

时间：2017 年 9 月 5 日～ 9 月 10 日　地点：日本

　　2017 年 3 月 29 日，中国排协正式公布：郎平担任中国女排总教练。

　　第 7 届大冠军杯于 9 月 5 日～ 10 日进行，共 6 支球队对决，中国女排的主教练是安家杰。战至 9 月 9 日的第 4 轮比赛中国女排便已提前夺冠了，最后一场无关痛痒的比赛依然以 3：1 击败了日本队，最终是 5 战全胜，时隔 16 年再夺大冠军杯的冠军奖杯。

　　2017 年 9 月 26 日，中国排球人在北京举办盛大派对，宣布新赛季的排超联赛正式启动并颁发上赛季各奖项，一个最振奋人心的消息则是：郎平在媒体面前公开表示已经结束了"病假"，开始归队执教。2018 年 4 月 23 日，国际排联公布 2018 国家联赛的各国家队大名单，郎平的名字前面又多了一个熟悉的称谓：主教练。

冠军成员

教练：郎平、安家杰

队员：朱婷、张常宁、刘晓彤、颜妮、袁心玥、郑益昕、王辰玥、龚翔宇、曾春蕾、丁霞、刁琳宇、姚迪、林莉、王梦洁